Prato
Museo d'Arte Contemporanea Luigi Pecci
Cataloghi - 2

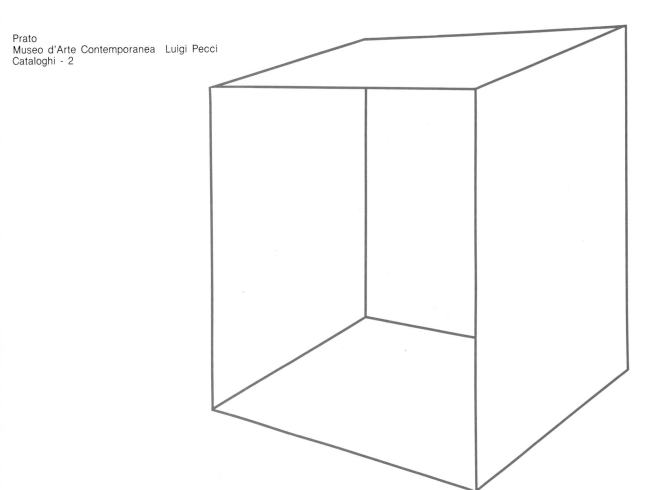

Spazi '88

Installazioni

a cura di
Amnon Barzel

Spaces '88

Installations

curated by
Amnon Barzel

Barbara Bloom
Eberhard Bosslet
Klaus vom Bruch
Giorgio Cattani
Philippe Cazal
Carlo Guaita
Kristin Jones
e Andrew Ginzel
Luigi Stoisa
Nahum Tevet
Erwin Wurm

Centro Di / Electa

Prato, Museo d'Arte Contemporanea Luigi Pecci

Spazi '88
mostra a cura di Amnon Barzel
19 Novembre 1988 - 5 Febbraio 1989

Spaces '88
exhibition curated by Amnon Barzel
November 19th, 1988 - February 5th, 1989

Con il patrocinio della Regione Toscana

Coordinamento:
Coordination:
Federico Maschietto - Electa Firenze
Matilde Contri - Centro Di

Esecutore e controllo tecnico:
Technical execution and control:
Angelo Mombelli

Copertina:
Front cover:
Marcello Francone

Progetto grafico:
Layout:
Francesca Bellini delle Stelle
Simonetta Doni

Referenze fotografiche:
Photo credits:
Eberhard Bosslet
Pieter Buersmag
Massimo Caselli
Luca Cavagna
Philippe Cazal
Chorley & Handford
T. Charles Erickson
Carlo Gianni
Anne Gold
Avraham Hay
S. Kormoshe
Michel Loye
Antonio Maniscalco
Peter McCullum
R. Milan
Parisini
Enzo Ricci
Christoph Scharff
John Schiff
Ken Schles
Lothar Schnepf
Meidad Sochovolsky

Traduzioni:
Translations:
Marina Berio
Carolyn Breakspear
Alberto Cacopardo
Augusto Cacopardo
Susan Charlton
Emmanuelle François
Marie-Thérèse Guerra Rosiers
Hilary Heltay
A. Lafata
Ilaria I. Luce
Liliana Montaini

Copyright 1988
Centro Di della Edifimi srl, Firenze, cat. 231
Electa spa, Milano
ISBN 88 435 2693-6

Centro per l'Arte Contemporanea Luigi Pecci
Centro di Informazione e Documentazione Arti Visive

Ringraziamo:
Special thanks to:

Dirk Stemmler, Städtishes Museum Abteiberg Mönchengladbach; Mercer Union, Toronto; Jay Gorney, New York City; Lisa e Tucci Russo, Torino; Claire Burrus, Paris; Ursula Krinzinger, Vienna; Piero Carini, Firenze; John Gibson, New York City; Orazio Goni, Milano; Margitt Baumann, Zurigo.

Per la realizzazione delle opere ringraziamo:
For the realization of the works, we thank:

Fabrizio Guidi, La Bottega di Scenografia di Barbani e, Lola Bonora, Carlo Ansaloni, e Giovanni Grandi del Centro Video Arte di Ferrara, Scuola Leonardo di Prato.

Ringraziamo gli artisti, che hanno dato il massimo per realizzare le loro installazioni negli spazi del museo.
Special thanks to the artists, who spared no effort to realize their installations in the spaces of the museum.

Sommario
Contents

Introduzione
Amnon Barzel

«Spazi '88» è una mostra di installazioni che si strutturano entro spazi dati. Il concetto di installazione e la sua realizzazione hanno accompagnato la storia dell'arte del ventesimo secolo lungo molte delle tappe più progressive ed eticamente significative del suo percorso: dal Costruttivismo dell'avanguardia russa, passando per Duchamp e Schwitters, fino a Fluxus, Arte Povera e i suoi equivalenti americani, come Smithson, Morris e Serra, nonché, attraverso Joseph Beuys, alla generazione oggi emergente, in seno alla quale sono stati scelti i dieci artisti invitati ad eseguire installazioni per questa mostra, ciascuno in un singolo spazio (le sale espositive del museo di Prato sono progettate «democraticamente»: misurano tutte 12 metri per 12).

Il concetto di installazione, che si iscriva in uno spazio interno o esterno, «site-specific» o meno, è il risultato dell'ambizione del modernismo di allargare la portata della creazione artistica, di rompere i confini delle definizioni tradizionali, per muovere, lungo il vettore che va dall'illusionismo, all'esteticismo, all'*escapism*, verso la realtà contemporanea stessa. «Le installazioni possono esser viste come parte di una più ampia espressione dell'artista in quanto tale e, per estensione, dell'intero mondo, un'espressione in corso di evoluzione», scrive Richard Marshall nel suo saggio introduttivo ad una mostra di installazioni di Jonathan Borofsky[1]; esse offrivano «una immagine multidimensionale della mente dell'artista, esprimendo le sue preoccupazioni estetiche, psicologiche, sociali e politiche e dando voce alla sua asserzione 'Tutto è Uno'».

La materializzazione dello spazio fra i singoli fenomeni e oggetti che compongono l'installazione, è un concetto che fa riferimento al significato di scultura e alla sua ridefinizione (oltre che ai nuovi punti di vista sul rapporto fra osservatore e oggetto). La superficie della scultura può esser vista come delimitazione di uno spazio interno circondato da uno spazio esterno aperto: un'epidermide, definita dall'equilibrio fra volume interno e pressione esterna. Così l'installazione occupa uno spazio interno che unifica tutti i suoi elementi ed è delimitata dalle pareti dello spazio dato.

Lo spazio materializzato dell'installazione unifica tutti gli elementi e gli oggetti isolati in un'unica entità; per dirla con le parole usate da Robert Irwin in *Seeing is Forgetting the Name of the Thing One Sees* [«Vedere è dimenticare il nome della cosa veduta»], «Non c'è alcuna linea di separazione reale, ma solo intellettuale, fra l'oggetto e il suo ambiente temporale. Essi sono completamente intrecciati: nulla può esistere al mondo indipendentemente da tutte le altre cose del mondo» e «abbiamo almeno la possibilità di guardare al mondo come ad una sorta di continuum, anziché come una collezione di eventi frammentari ed isolati»[2]. Queste idee non sono che la logica estensione di ciò che tanto tempo fa aveva detto

Joseph Beuys
Tram Stop, 1976
Biennale di Venezia

Laszlo Moholy-Nagy
Modular Spatial, 1922-30
Stedelijk van Abbemuseum, Eindhoven

Mario Merz
Il fiume appare, 1988
«Europa Oggi», Museo d'Arte
Contemporanea «Luigi Pecci», Prato.
Courtesy Tucci Russo, Torino

Marcel Duchamp
Creation Using a Mile of String, 1942
First Papers of Surrealism, New York

Jonathan Borofsky, 1980
Installazione in tecnica mista
Mixed media installation
Hayden Gallery, Cambridge

Piero della Francesca: che la tensione fra due cipressi dipinti è più importante della pittura dei due cipressi.

Lo spazio dell'installazione può essere concepito come una sorta di collage dalle molte facce, una «scultura» fratturata, composta da molteplici elementi tridimensionali. Questa visione dello spazio interno delle installazioni come qualcosa di frammentario caratterizza uno degli aspetti essenziali dell'arte moderna. Esso entra in contraddizione con gli ideali rinascimentali di integrità e di armonia, che erano espressione della fede in un potere unificante della giustizia e della sicurezza. Le pennellate divise degli impressionisti, i collage e i piani sezionati dei cubisti, le «combine» di Rauschenberg e i piatti rotti di Schnabel testimoniano tutti il crollo della fede nell'autorità, celeste o terrena che sia.

In questo frammentario teatro dell'installazione, l'osservatore diviene elemento essenziale, in virtù della sua inclusione nello spazio dell'opera, che cessa così di essere un oggetto percepito dall'esterno. È come stare sulla scena fra gli attori e lo scenario, anziché guardare il palcoscenico da un posto in sala; come dice Borofsky, «Per me [l'installazione] ha a che fare con la consapevolezza dello spazio, con la capacità di rendere gli altri consapevoli dell'intero spazio in cui si trovano, e non solamente dello spazio occupato dagli oggetti... io considero queste opere come dipinti tridimensionali in cui si penetra: uno scenario pronto, solo che in questo caso lo spettatore è ammesso sulla scena a partecipare al dramma»[3]. In questa situazione sentiamo perfino riecheggiare gli slogan dell'avanguardia russa, che sognava di creare una nuova arte per una nuova società: «facciamo delle piazze le nostre tavolozze e delle strade i nostri pennelli» (Majakovskij).

L'installazione rappresenta una via d'uscita dallo spazio dipinto dell'illusionismo e si richiama ad uno dei propositi fondamentali del modernismo, che era quello di portare l'arte dentro la realtà. I radicali esperimenti di Lucio Fontana, per esempio, rappresentavano un tentativo di irrompere, attraverso la bidimensionalità dello spazio dipinto, nello spazio reale, o di «usare lo spazio come tela», come ben diceva Laszlo Glozer nel titolo del suo saggio sui dipinti su muro di Blinky Palermo nel 1973.

Nelle installazioni gli elementi tridimensionali e lo spazio sono reali ed includono la presenza dello spettatore. È nella forma di un'installazione che Kounellis ha potuto realizzare la sua opera coi cavalli viventi (alla Galleria L'Attico, Roma, nel 1969) e Beuys il suo «Tram Stop» («Iron Man») alla Biennale di Venezia del 1976, in cui combinava forme di ferro e binari ferroviari con la perforazione del terreno fino a raggiungere la falda acquifera in loco. Nella sua installazione «Il fiume appare» alla mostra «Europa Oggi» del Museo di Prato nel 1988, Mario Merz riflette sul significato di installazione e presenta l'opera delimitandola con la barriera di vetro, esaminando così la possibilità di un'installazione su larga scala concepita come una scena che lo spettatore non è ammesso ad invadere.

Gli artisti che partecipano a questa mostra affrontano questi temi con impostazioni stilistiche variabili; mentre l'opera è orientata verso il concetto di installazione in sé, gli artisti non rinunciano alle loro preoccupazioni e alla loro assunzione di responsabilità nei confronti della situazione sociale e culturale del presente, fra teatro dell'assenza e teatro della presenza. Ciascuno in un suo spazio, come in dieci mostre personali, essi si occupano di vari problemi: la realtà e la profezia orwelliane (il radar di Klaus vom Bruch), il lavaggio del cervello delle immagini pubblicitarie (Philippe Cazal), la ri-creazione della bellezza in ambiente urbano (Kristin Jones e Andrew Ginzel), l'opposizione struttura/fragilità (nelle costruzioni di Carlo Guaita), l'impossibile dialogo fra artista e società (Luigi Stoisa), l'esibizione dell'intimità (nei Sette Peccati di Barbara Bloom), una misurata tensione (Eberhard Bosslet), l'ambiguità dell'oggetto fra domesticità e distruzione (Erwin Wurm), la fusione di memoria personale e storia dell'arte (Nahum Tevet), e il passaggio dall'oggetto post-industriale all'immagine elettronica (Giorgio Cattani). Tutte le installazioni sono la fusione di vari elementi che si uniscono a creare un insieme, una verità, un messaggio. Come scrisse Italo Calvino in *Le città invisibili*, «Eppure io so che il mio impero è fatto della materia dei cristalli, e aggrega le sue molecole secondo un disegno perfetto»[4].

1. Richard Marshall, «Jonathan Borosky's Installations: All is One», in *Jonathan Borofsky*», catalogo della mostra curata da Mark Rosenthal e Richard Marshall al Philadelphia Museum of Art in collaborazione col Whitney Museum of American Art, 1984, p. 104.

2. Lawrence Weschler, *Seeing is Forgetting the Name of the Thing One Sees: A Life of Contemporary Artist Robert Irwin*, University of California Press, Berkeley, 1982, p. 148.

3. Jonathan Borofsky, op. cit., p. 105.

4. Italo Calvino, *Le Città Invisibili*, Giulio Einaudi editore, Torino, 1972, p. 66.

«Raccogli un po' di sabbia, scriveva Rebi Ivri, e lasciala scivolare fra le dita: conoscerai, allora, la vanità della parola.
La sabbia non è altro che la sabbia, e la parola bandiera della parola.»

Edmond Jabes,
«Il libro delle interrogazioni»

Introduction
Amnon Barzel

□ *"Spaces '88" is an exhibition about installations in given spaces. The concept of installations, and its realization, has accompanied the history of 20th century art across some of its progressive and moralistic peaks: from the Constructivism of the Russian avant garde, through Duchamp and Schwitters, to Fluxus, Arte Povera and its American equivalents, like Smithson, Morris, and Serra, and through Joseph Beuys to the recent emerging generation, from which ten artists were chosen to execute installations for this exhibition, each in one space. (The exhibition halls in the Prato museum are "democratically" designed: each room measures 12 × 12 meters.)*

The concept of the installation, whether it be in an indoor space or the in the open, site-specific or not, is the result of the ambition of modernism to enlarge the scope of art creation, to break through traditional definitions, and to move along the vector from illusionism, aestheticism, and escapism toward contemporary reality itself. "The installations can be perceived as part of a larger, evolving expression of the whole artist and, by extension, of the whole world,", writes Richard Marshall in his essay introducing a Jonathan Borofsky installation show[1]; it "offered a multidimensional view of the artist's mind, expressing his aesthetic, psychological, social and political concerns and reinforcing his dictum that 'All is One'".

The materialization of space, between the individual phenomena and objects which constitute the installation, is a concept which refers to the meaning of sculpture and its redefinition (as well as to new viewpoints regarding spectator versus object). The sculpture's face can be seen as an enclosure of inner space surrounded by an open outer space, so that the sculptural plane is an epidermis – which exists in equilibrium with the inner volume and the external pressure. Accordingly, the installation occupies an inner space which unifies all its elements, and is bordered by the walls of the given space.

So the materialized space of the installation unifies all the elements and isolated objects into one entity; as Robert Irwin put it in Seeing is Forgetting the Name of the Thing One Sees, "There is simply no real separation line, only an intellectual one, between the object and its time environment. They are completely interlocking: nothing can exist in the world independent of all other things in the world,", and "there is at least the possibility of looking at the world as a kind of continuum, rather than as a collection of broken-up and isolated events."[2] These ideas embody the logical extension of what Piero della Francesca said long ago: that the tension between two painted cypresses is more important than the painting of the cypresses itself.

The space of the installation can be perceived as a multifaceted, fractured, collaged "sculpture" composed of many three-dimensional elements. This vision of the inner space of installations as fragmentary characterizes one of the essentials of modern art. It contradicts the wholeness and harmony valued in the Renaissance, a harmony which is the expression of the belief in a unifying power of justice and security. The divided brushstrokes of the Impressionists, the Cubists' fractured planes and collages, the "combines" of Rauschenberg, and Schnabel's broken-plate supports all attest to the collapse of the belief in heavenly or earthly authority.

In this fragmented theater of the installation, the viewer becomes an essential part by being included in the work's space, and not by perceiving it from the outside. It's like being on the stage in between the actors and the sets rather than looking at the stage from a seat in the audience; as Borofsky says, "For me ('installation') has to do with an awareness of space, and making other people conscious of the entire space they are in, not just the space that the object occupies... I think of these as walk-in-three-dimensional paintings – a stage set, only in this case the viewer is allowed on the stage to participate."[3] In this situation we can even hear the echoes of the slogans of the Russian avant garde, which dreamt of creating a new art for a new society: "let's make our town squares into palettes and the streets into paintbrushes" (Maiakosvky).

The installation represents an outlet from illusionistic painted space, and recalls one of the central aims of modernism to bring art into reality itself. The radical experiments of Lucio Fontana, for example, represented an attempt to break through the two-dimensionality of the painted surface into real space, or "To use space like canvas", as put aptly by Laszlo Glozer in the title of his essay on Palermo's wall paintings of 1973.

The three-dimensional elements and the space in installations are real, and they include the presence of the viewer. It's in the form of an installation that Kounellis could realize his work with living horses, (at the Galleria L'Attico, Rome, in 1969) and that Beuys could realize his "Tram Stop" ("Iron Man") at the Venice Biennale of 1976, in which he combined iron casts, railway tracks, and the drilling of a hole down to the water level at the site. In his installation, "Il fiume appare" at the "Europe Now" exhibition at the Prato Museum, 1988, Mario Merz reflects upon the meaning of the installation and presents the work fenced in by a glass barrier, thus examining the possibility of the large-scale installation as a stage, not to be invaded by the viewer.

The artists participating in this exhibition approach the issues with varying styles; while the work is oriented toward the concept of installation itself, the artists maintain a concern about and responsibility towards the social and cultural situation of the present, between the theater of absence and the theater of presence. The artists, one in each space like in ten one-person shows, deal with various issues, such as: Orwellian reality and prophecy (the radar project of Klaus vom Bruch), the brainwashing of advertisement images (Philippe Cazal), the recreation of beauty in urban settings (Kristin Jones and Andrew Ginzel), structure versus fragility (in the constructions of Carlo Guaita), the impossible dialogue between the artist and society (Luigi Stoisa), the EXhibition of INtimacy (in the Seven Sins project of Barbara Bloom), measured tension (Eberhard Bosslet), the ambiguity of the object between domesticity and destruction (Erwin Wurm), the fusion of personal memory and art history (Nahum Tevet), and the passage from the post-industrial object to the electronic image (Giorgio Cattani). All the installations constitute a melting together of various elements which combine to create a whole, a truth, a message; as Italo Calvino wrote in Le Città Invisibili, "I know thay my empire is made of the material of crystals, its molecules arranged in a perfect pattern."[4]

1. Richard Marshall, "Jonathan Borofsky's Installations: All in One", in Jonathan Borofsky, catalogue of the show curated by Mark Rosenthal and Richard Marshall at the Philadelphia Museum of Art in association with the Whitney Museum of American Art, 1984, p. 104.

2. Lawrence Weschler, Seeing is Forgetting the Name of the Thing One Sees: A Life of Contemporary Artist Robert Irwin, University of California Press, Berkeley, 1982, p. 148.

3. Jonathan Borofsky, p. 105.

4. Italo Calvino, Invisible Cities Pan Books, London, 1979, p. 48.

"Pick up a little sand, wrote Rebi Ivri, and let it slip through your fingers: then you'll better understand the vanity of words.
Sand is nothing but sand and the word is the banner of the word".

Edmond Jabes
The Book of Interrogations

Scultura dilagante: precedenti storici all'arte di installazione
Susan Lubowsky

«Se ci si occupa dell'oggetto, come forma positiva, lo spazio circondante quest'oggetto si riduce a quasi niente. Se ci si occupa invece principalmente dello spazio circondante l'oggetto, l'oggetto si riduce a quasi niente. Che cosa ha maggior interesse per noi, quello che è fuori o quello che è dentro una forma?"
Pablo Picasso[1]

Considerando la scultura ambientalmente piuttosto che come una massa racchiusa su se stessa e indipendente, gli artisti di installazione protraggono una tradizione radicata nell'arte religiosa e arricchita attraverso tutto il Novecento.
Nei primi anni del Novecento, degli artisti di avanguardia applicarono per primo il concetto di unificare la pittura, la scultura, il linguaggio e l'architettura in un'estetica secolare. Durante gli ultimi anni Cinquanta, e protraendosi attraverso gli anni Settanta, predominava l'installazione ambientale, spezzando i limiti stilistici prevalenti. L'arte del nostro proprio decennio si è distinta per il suo pluralismo, infatti l'arte di installazione è riapparsa recentemente sfruttando una sovrabbondanza di immagini sociali, politiche, spirituali e metafisiche.
Prima del Seicento la scultura era concepita come un volume racchiuso, circondato da spazio. Nell'architettura sacra erano disposte delle statue di santi al fine di intensificare l'esperienza religiosa. Però fino al Barocco la chiesa stessa veniva considerata come un'entità indipendente – una conchiglia chiusa che manteneva la sua propria identità separata.
Nell'antichità e di nuovo durante il Rinascimento i «trompe-l'oeil» e gli affreschi illusionistici tentarono di integrare la pittura nell'architettura. Tuttavia fu Bernini il primo a sfidare l'egemonia della costruzione fondendo in una sola entità coerente architettura, scultura, pittura e luce naturale. La sua cappella Cornaro (nella chiesa di Santa Maria della Vittoria a Roma, 1651) è forse il primo e più preminente esempio dell'installazione ambientale dell'arte occidentale.
Il suo fulcro è *l'Estasi di Santa Teresa* che mette in scena il dramma della visione mistica di una santa. L'intera scena è attiva e viva, dalla massa agitata di tessuto che figura il vestito di Teresa, alla lancia d'oro librata al di sopra del suo seno. Caricati di energia, tutti gli aspetti della cappella di Bernini sono stati orchestrati per ritrarre la passione spirituale che ha «infiammato la santa di amore divino».
Scorrendo giù dalla volta dipinta, la luce del sole e dei raggi di legno dorato formano un contrappeso al raggruppamento centrale, mentre delle sculture supplementari in alto e bassorilievo, decorazioni di marmo e tegole intarsiate inquadrano la scena da tutte le parti per creare un'entità monomorfica.
Soltanto dai primi anni del Novecento certi artisti si sono messi ad applicare il concetto dell'unità berniniana all'arte non religiosa. Con l'avvento del modernismo gli scultori iniziarono a riconoscere lo spazio come un elemento formale concreto e promossero un dialogo fra spazio e forma.

I costruttivisti russi furono i primi a promulgare tali teorie attraverso dei manifesti nei primi anni Venti; Naum Gabo scrisse nel 1937: «Fino ad ora, gli scrittori hanno preferito la massa e trascurato un suo componente importante cioé lo spazio. Lo spazio rappresentava un luogo in cui i volumi potevano essere collocati o proiettati. Aveva il solo compito di circondare delle masse. Noi invece, consideriamo lo spazio da un punto di vista completamente diverso, lo riteniamo un elemento sculturale, liberato da ogni volume racchiuso e lo rappresentiamo dal di dentro con le sue proprietà specifiche. Nella nostra scultura lo spazio è diventato un elemento materiale, malleabile»[2].
Per i costruttivisti spazio e forma sono inseparabili e la loro fusione è basilare per il concetto di installazione. Il *Monumento alla Terza Internazionale* (1919) ideato da Vladimir Tatlin fu un progetto irrealizzato, ordinato per commemorare la Rivoluzione Russa. Concepito come un'enorme torre d'acciaio e vetro, alta circa 400 metri, la sua ossatura aperta, questa costruzione a traliccio sfidava le nozioni tradizionali della scultura come una massa solida e chiusa. Offrendo la sintesi di elementi architettonici e pittorici, l'edificio di Tatlin (ricordato soltanto attraverso le piante e le fotografie del modello) è diventato un'icona dell'avanguardia.
Gli artisti associati a movimenti modernisti collegati tra loro si misero ad allestire produzioni teatrali innovatrici alla fine dell'Ottocento. Questi spettacoli prefigurarono gli «Happenings» degli anni Sessanta e gettarono le fondamenta per le installazioni contemporanee. La prima e più famosa rappresentazione teatrale fu quella allestita da Alfred Jarry intitolata *Ubu Roi* (Ubu Re), rappresentata per la prima volta a Parigi nel 1896. Consisteva di una sola scena disegnata e interpretata da Jarry, Pierre Bonnard, Edouard Vuillard, Toulouse-Lautrec e Paul Serusier e segnava l'emergenza della rappresentazione avanguardista. Nel 1909 Marinetti, il fondatore del Futurismo italiano, fece altrettanto presentando il proprio spettacolo, *Roi Bombance*, allo stesso teatro. Durante gli anni '10 e '20 i futuristi utilizzarono costumi e scenografie sculturali in produzioni di collaborazione interdisciplinare. Oskar Schlemmer, l'artista della corrente del Bauhaus, ha applicato questi concetti alla danza col suo «Balletto Triadico». Rappresentato per la prima volta a Stoccarda nel 1922, continua finora ad essere allestito. I Dadaisti organizzarono degli eventi «anti-artistici» scagliati contro la cultura borghese che essi rifiutavano. Al Cabaret Voltaire a Zurigo artisti e musicisti, poeti ed interpreti collaborarono per presentare le «Serate Dada». Nel 1920 le Fiere Dada che avevano luogo a Berlino, Colonia e Parigi ricollegarono elementi teatrali provocatori con l'arte visiva. La Galleria Burchard che ospitò la fiera di Berlino presentò un'installazione creata da Johannes Baader a base di materiale di scarto intitolata *Il grande dramma Plasto-Dio-Dada... un monumento architettonico dadaista a sei piani, tre giardini, una galleria e due ascensori con l'apice a forma di cilindro* (una versione abbreviata del titolo originale). Lo stesso anno a Hannover, Kurt Schwitters iniziò a costruire una scultura enorme intitolata *Merzbau* oppure *K*

de E abbreviazione di Kathedrale des erotischen Elends (Cattedrale del dolore erotico).

L'opera era situata nella sua casa, e delle stanze intere vennero incorporate man mano che questa cresceva. Finalmente Schwitters fece un buco nel soffitto del pian terreno per poter continuare a costruire al secondo piano. L'opera *Merzbau*, ambientale nel senso più estremo e aggressivo, era una massa gigantesca e parassitaria in continuo sviluppo.

Gli artisti europei viaggiavano frequentemente negli Stati Uniti, ispirati dalla tecnologia e dall'eccitazione futurista per le grandi città americane. Nel 1913 il pittore dadaista francese Francis Picabia, in visita a New York per la mostra storica all'Armey, osservò: «La Francia è quasi emarginata e sconfitta. Ritengo che le teorie dell'arte nuova si manterranno con maggior tenacità negli Stati Uniti.»[3] Ma la profezia di Picabia si è realizzata soltanto minimamente. Benché i pittori americani dipingessero macchine ed altre immagini moderniste, la scultura rimaneva relativamente accademica, immune alle tendenze rivoluzionarie europee. Soltanto negli anni '30, con l'emergenza della scultura astratta, gli artisti americani si avvicinarono approssimativamente alla portata dell'arte europea di installazione e rappresentazione. Le composizioni mobili di Alexander Calder potevano essere considerate come ambienti piuttosto che come oggetti separati. Al Black Mountain College nella Carolina del Nord, alcuni artisti europei allestirono delle rappresentazioni sperimentali ispirate alle loro opere precedenti di cui erano delle copie. Sam Kootz (che avrebbe aperto la propria galleria quattro anni dopo, nel 1945) proclamò in una lettera scritta al quotidiano «The New York Times»: «In ogni modo adesso è venuto il momento propizio all'esperimento... Le gallerie hanno bisogno di talento nuovo, di idee diverse... Ragazzi, basta trovare un punto di vista nuovo, scavate un po' un per una volta – Si sa che è da tanto che non vi date da fare.»[4]

Peggy Guggenheim, appena tornata dall'Europa in guerra, rispose per prima all'appello d'innovazione. Guidata dal dadaista André Breton e dal surrealista Max Ernst, Guggenheim aprì a New York la sua galleria-museo chiamata «Art of this Century» – il suo progetto rappresenta un esempio pionieristico di arte ambientale. Per l'esposizione inaugurale del surrealismo nel 1941, Frederick Kiesler, un artista nato a Vienna, con una formazione d'architetto, dispose nello spazio delle pareti curve con delle mazze da baseball sporgenti a cui appese dei quadri. La Guggenheim rammentò: «Gli avevo lasciato carta bianca con una sola eccezione: – divieto assoluto di adoperare cornici. Così egli appese tutto in sospensione a mezz'aria, o fissò i quadri ad un piede dalla parete... Sembrava che tutto galleggiasse.

L'effetto era sorprendente, molto originale e, nello stesso tempo, completamente funzionale... Kiesler mi disse che non sarei stata nota per la mia collezione di opere, ma per la sua installazione. L'unico problema consisteva nel fatto che lo scenario rivaleggiava con i quadri.»[5]

Kiesler tentava di dipingere lo spazio «continuo» e riportava l'interesse del proprio lavoro verso la scultura ambientale. «L'oggetto non è più la maggiore attrazione», egli scrisse, «ma diventa l'ambiente stesso.»[6]

Lo scopo originale della Guggenheim era di esibire la sua collezione accumulata all'estero e di procurare un rifugio per gli artisti europei esiliati. Presto però, la galleria si mise a promuovere dei giovani artisti americani che invadevano la scena artistica con uno stile nuovo conosciuto come Espressionismo Astratto. Al momento di chiudere la sua galleria, nel 1947, la Guggenheim aveva già lanciato la carriera stellare del capofila Jackson Pollock.

Benché degli scultori come Kiesler fossero collegati con l'Espressionismo Astratto, un'attenzione critica fissava ossessivamente i pittori. Ironicamente questo movimento che aveva proiettato l'America nelle prime linee dell'avanguardia artistica, era nello stesso tempo responsabile della dissipazione dell'attività innovatrice nella scultura e nell'arte ambientale.

Un decennio dopo, l'Espressionismo Astratto sembrava sconfitto ed esaurito e negli ultimi anni '50 una nuova generazione si accingeva a sfidare la preminenza implicita che aveva dato alla pittura. La Pop Art e il Minimalismo, anche se avevano le loro origini nella pittura, continuarono a ridefinire il concetto della scultura come un oggetto autonomo. La convergenza dell'interesse per la fredda oggettività, evidente nel modo in cui la Pop Art si appropriava dell'immaginario culturale mondano, come ad esempio la pubblicità commerciale, e anche l'enfasi con cui il Minimalismo considerava l'opera d'arte come un oggetto radicato in un tempo ed in uno spazio reale, creò uno scivolamento naturale verso la scultura. Le «combinazioni» (combines) di Robert Rauschenberg, create alla fine degli anni cinquanta, confondevano la pittura su tela con i detriti della vita quotidiana. Però fu Alan Kaprow a usare oggetti trovati e rifiuti urbani nelle sue installazioni di ampia misura. Per Kaprow, l'eredità di Pollock era il senso dello spazio ambientale creato attraverso le sue tele e, secondo lui, il seguente passo logico consisteva nell'estendere e prolungare questa visione al di là del muro e quindi nella stanza stessa. Nel 1958 Kaprow creò nella galleria di Hansa a New York un labirinto di tessuto tagliuzzato e dipinto appeso al soffitto e disseminato di fogli di plastica, cellophan, nastro adesivo e illuminazioni natalizie. Gli spettatori entravano nell'ambiente mentre sullo sfondo si sentiva una musica registrata su nastro che veniva riattivato ogni cinque ore. Le combinazioni di Rauschenberg e le sculture partecipatorie di Kaprow condussero verso un'onda successiva di espressione artistica nella Pop Art e negli Happenings.

I primi anni Sessanta a New York, videro nascere uno slancio verso l'installazione a tre dimensioni. Il primo Happening pubblico organizzato da Kaprow nella galleria Reuben fu imitato da eventi simili allestiti da artisti presto riuniti sotto il comune denominatore della corrente Pop: Jim Dine, Red Grooms e Claes Oldenburg, fra altri. Questi Happening, essendo una conseguenza immediata degli spettacoli dadaisti, erano spesso improvvisati, caotici e confusi. La loro posizione di base come «arte totale» era di unire l'arte e la vita – confondere varie discipline e mezzi di comunicazione in un'esperienza visiva e di partecipazione senza costrizioni.

Come la Pop Art, il Minimalismo cercava di definire la scultura in rapporto col mondo reale – un precetto condiviso con l'arte ambientale. I progressi tecnologici fornirono nuove opportunità alle opere monumentali che penetravano nello spazio dello spettatore. Gli artisti sperimentarono con dei mezzi non tradizionali come l'alluminio, la plastica, e il neon. Donald Judd e Dan Flavin, soprattutto, utilizzarono questi materiali per creare ampie configurazioni geometriche di neon. Nei nuovi «laboratori d'arte» – Centre for Advanced Study of Science and Art (Centro di Studi Approfonditi di Scienza e Arte), Londra; Art and Technology Project (Progetto di Arte e Tecnologia) per il Los Angeles County Museum of Art e Experiments in Art and Technology (E.A.T.) (Esperimenti in Arte e Tecnologia), New York – gli artisti si accoppiarono a scienziati e ingegneri per collaborare. All'inizio degli anni '70, le monumentali icone Pop, le configurazioni geometriche inerti e le installazioni che sfruttavano tutti i mezzi di comunicazione, erano l'idioma comune dell'espressione sculturale.

Ma l'insistenza dei minimalisti sull'«essere oggetto» della scultura finì col diventare un sistema restrittivo ed ermetico per la generazione seguente di scultori. Ai primi anni '70 gli artisti volevano colmare la rottura provocata dai minimalisti fra il manufatto e il tecnologico, fra l'emozione e l'idea e, più criticamente, fra l'astrazione e la rappresentazione. «Arte Concettuale», «Process Art», «Earth Hand Body Art» continuavano a considerare lo spazio in modo ambientale e continuavano a alterare la nostra definizione dell'oggetto sculturale. Dilatando la scultura al di là della galleria fino all'ambiente naturale, questi movimenti esaltavano la nostra consapevolezza dell'arte come un'esperienza totalitaria. E in questi ultimi anni '80, l'ondata recente dell'arte di installazione porta a fioritura i concetti postulati ai primi anni di questo secolo.

1. Françoise Gilot e Carlton Lake. *Life with Picasso*, (New York McGraw Hill, 1964), p. 219.

2. J.L. Martin, Ben Nicholson and Naum Gabo. *Cerchio: An International Survey of Constructive Art*. (New York: Praeger, 1937), pp. 106-107.

3. Susan Lubowsky, *Precisionist Perspectives: Prints and Drawings*, exhibition catalogue, (New York, Whitney Museum of American Art at Philip Morris, 2 marzo-28 aprile, 1988), p. 4

4. Sam Kootz, Lettera al "New York Times", August 10, 1941, Kootz Papers, Archives of American Art, New York, no. 1318.

5. Peggy Guggenheim, *Works from the Peggy Guggenheim Foundation*, (New York, The Solomon R., Guggenheim Foundation, 1969), pp. 3-4

6. Frederick Kiesler, The Future: Notes on Architettura as Sculpture, «Art in America», 54 (maggio-giugno 1966), p. 68.

Brevi passi di questo saggio sono stati ripresi dai cataloghi dell'autrice delle esposizioni correnti tenute al Whitney Museum of American Art at Equitable Center: «Enclosing the Void: Eight Contemporary Sculptors» e «Sculpture Since the Sixties from the Permanent Collection of the Whitney Museum of American Art».

Extending Sculpture: Historical Precedents for Installation Art
Susan Lubowsky

☐ *If one occupies oneself with the object as positive form, the space around it is reduced to almost nothing. If one occupies oneself primarily with the space that surrounds the object, the object is reduced to almost nothing. What interests us most – what is outside or what is inside a form?*
Pablo Picasso[1]

Envisioning sculpture environmentally rather than as a contained mass, installation artists continue a tradition rooted in religious art and enriched throughout the twentieth century. In the early 1900s, vanguard artists first applied the concept of unifying painting, sculpture, language, and architecture to a secular aesthetic. During the late 1950s and continuing through the 70s, the environmental installation predominated, traversing prevailing stylistic boundaries. The art of our own decade has been distinguished by its pluralism and installation art has recently reemerged using a plethora of social, political, spiritual, and metaphysical images.

Prior to the seventeenth century, sculpture was conceived as a closed volume surrounded by space. In sacred architecture holy statues were strategically placed to heighten the religious experience. But until the Baroque, the church itself was conceived as an independent unit – an enclosing shell that maintained its own separate identity. In antiquity and again during the Renaissance, trompe l'oeil and illusionistic frescoes attempted to integrate painting with architecture. It was Bernini, however, who first challenged the hegemony of the edifice by fusing architecture, sculpture, painting and natural light into one coherent entity. His Cornaro Chapel (1651, Rome, S. Maria della Vittoria) is perhaps the earliest and most preeminent example of the environmental installation in Western art. Its focus is The Ecstasy of St. Teresa which enacts the drama of a saint's mystical vision. The entire scene is active and alive, from the agitated mass of fabric that comprises Teresa's robe, to the golden spear poised above her bosom. Charged with energy, all aspects of Bernini's chapel are orchestrated to portray the spiritual passion that set the saint «afire with the love of God.» Streaming from the painted vault, sunlight and gilt wood rays form a backdrop against the central grouping, while subsidiary statuary in high and low relief, marble decoration and inlaid tile frame the scene on all sides to create a monomorphic whole.

It was not until the early twentieth century that artists applied Bernini's concept of unity to non-religious art. With the advent of modernism, sculptors began to recognize space as a concrete formal element and promoted a dialogue between space and form. Russian Constructivists first promulgated such theories in manifestos of the early twenties; in 1937, Naum Gabo wrote:
«Up to now, the sculptors have preferred the mass and neglected such an important component of mass as space. Space was a spot in which volumes could be placed or projected. It had to surround masses. We consider space from an entirely different point of view. We consider it as an absolute sculptural element, released from any closed volume, and we represent it from inside with its own specific properties. In our sculpture space has become a malleable material element».[2]

For Constructivists, space and forms were inseparable and their fusion is basic to the concept of the installation. Vladimir Tatlin's Monument to the Third International (1919) was an unrealized project commissioned to commemorate the Russian Revolution. Conceived as an enormous tower of steel and glass approximately 400 meters high, its open framework construction challenged traditional notions of sculpture as a solid, closed mass. Synthesizing architectural and painterly elements, Tatlin's edifice (recalled only by plans and photographs of the model) came to be an icon of the avant-garde.

Artists associated with related modernist movements began to stage innovative theatrical productions at the end of the nineteenth century. These spectacles prefigured «Happenings» of the 1960s and laid the foundation for contemporary installations. The earliest and most famous was Alfred Jarry's Ubu Roi, which opened in Paris in 1896. With only one set, designed and executed by Jarry, Pierre Bonnard, Edouard Vuillard, Toulouse-Lautrec and Paul Serusier, Ubu Roi marked the emergence of vanguard performance. In 1909, Filippo Tommaso Marinetti, the founder of Italian Futurism, followed suit presenting his own play, Roi Bombance, at the same theater. Throughout the teens and twenties, Futurists utilized sculptural costumes and sets in collaborative interdisciplinary productions. The Bauhaus artist, Oskar Schlemmer, applied these concepts to dance with his Triadic Ballet. First performed in Stüttgart in 1922, it continues to be re-staged today. Dadaists organized «anti-artistic» events directed against the bourgeois culture they rejected. At Zürich's Cabaret Voltaire, artists collaborated with musicians, poets and performers to present «Dada Evenings». In 1920, Dada Fairs held in Berlin, Cologne and Paris combined provocative theatrics with visual art. The Burchard Gallery which housed the Berlin Fair featured an installation by Johannes Baader made of scrap material entitled The Great Plasto-Dio-Dada Drama... A Dadaist Architectural Monument with 6 Floors, 3 Gardens, a Tunnel, and 2 Elevators with a Top in the Form of a Cylinder (an abbreviated version of the original title). That same year in Hannover, Kurt Schwitters began constructing an enormous sculpture which he called Merzbau or K de E for Kathedrale des erotischen Elends (Cathedral of Erotic Woes). Situated inside his home, rooms were enveloped as the work grew over the years. Finally, Schwitters cut a hole through the ground floor ceiling so that he could continue building on the second floor. Environmental in the most extreme and aggressive sense, Merzbau was a gigantic, parasitic and constantly evolving mass.

European artists frequently traveled to the United States, inspired by the technology and futuristic excitement of the great American cities. In 1913 the French Dadaist painter Francis Picabia, visiting New York for the historic Armory Show, remarked: «France is almost out played. It is in America that I believe that the theories of the New Art will hold most tenaciously».[3] But Picabia's prediction was borne out only in the most modest sense. Although American painters depicted machine and other modernist images, sculpture remained relatively academic, unaffected by revolutionary European trends. It was not until the 1930s, with the emergence of abstract sculpture, that American artists tentatively approached the scope of European installation and performance art. Alexander Calder's mobiles could be viewed as environments rather than as discrete objects. And at Black Mountain College in North Carolina, European artists staged experimental performances inspired by their earlier counterparts. In a letter to the New York Times, Sam Kootz (who opened his own gallery four years later in 1945) proclaimed: «Anyhow, now's the time to experiment... Galleries need fresh talent, new ideas... All you have to do, boys and girls, is get a new approach, do some delving for a change – God knows you've had a long rest.»[4]

It was Peggy Guggenheim, just returning from wartime Europe, who first and most dramatically responded to the call for innovation. With guidance from the Dadaist, André Breton, and the Surrealist, Max Ernst, Guggenheim opened her museum-gallery, Art of this Century in New York – its design, a pioneering example of environmental art. For the premiere exibition on Surrealism in 1941, Frederick Kiesler, a Viennese born artist who had been trained in architecture, installed curved walls from which paintings hung on projecting baseball bats. Guggenheim recalled:
«I had given [him] carte blanche with one exception. There were to be no picture frames. So he hung and suspended everything in mid air or projected the pictures a foot from the walls... Everything seemed to float. The effect was sensational; most original, but completely functional... Kiesler told me I would not be known for my collection in the future but for his installation. The only trouble was that the decor rivaled the pictures.»[5]
Kiesler sought to depict «continuous» space and focused his own work on environmental sculpture. «The object is no longer the main attraction», he wrote, «but becomes the environment itself.»[6]
Guggenheim's original aim had been to exhibit the collection she'd amassed abroad and provide a haven for exiled European artists. But the gallery was soon promoting young Americans who burst onto the scene with a new style known as Abstract Expressionism. When Guggenheim closed her gallery in 1947, she had already launched the stellar career of the group's prime spokesman, Jackson Pollock. Although sculptors such as Kiesler were allied with Abstract Expressionism, critical attention became obsessively focused on the painters. Ironically, this movement which had propelled America to the forefront of the artistic avant garde was also responsible for the dissipation of innovative activity in sculpture and environmental art.
A decade later Abstract Expressionism seemed played out, and by the late 1950s, a new generation stepped in to challenge the implicit preeminence it had given to painting. Pop Art and Minimalism, though their origins were in painting, continued to redefine the concept of sculpture as an autonomous object. The

clear focus on cool objectness in Pop Art's appropriation of mundane cultural imagery such as commercial advertisements and Minimalism's emphasis on the artwork as a thing rooted in real time and space created a natural segue to sculpture. Robert Rauschenberg's «combines» of the late 1950s merged painting on canvas with the actual detritus of everyday life. But it was Allan Kaprow who first began to use found objects and urban refuse in large scale installations. For Kaprow, Pollock's legacy was the sense of environmental space created within his canvases, and the next logical step was to extend that vision beyond the wall and into the room itself. In 1958, at the Hansa gallery in New York, Kaprow created a maze of slashed, painted fabric hung from the ceiling and interspersed with plastic sheeting, cellophane, Scotch tape and Christmas lights. Viewers entered the environment to the accompaniment of taped music which was activated once every five hours. Rauschenberg's combines and Kaprow's participatory

Kurt Schwitters
Merzbau, 1923-43

sculpture paved the way for the next wave of artistic expression in Pop Art and Happenings.

The early 1960s in New York saw a burst of activity focused on the three dimensional installation. Kaprow's first public Happening at the Reuben Gallery was followed by similar events staged by artists who would soon be identified with the Pop movement – Jim Dine, Red Grooms, and Claes Oldenburg, among others. A direct outgrowth of Dadaist spectacles, the Happening was often ad-libbed, chaotic and unfocused. Its basic position as «total art» was to unite art and life – to merge various disciplines and media into a free-flowing visual and participatory experience.

Like Pop Art, Minimalism sought to define sculpture in relation to the real world – a precept sympathetic with environmental art. Technological advances provided new opportunities for monumental works that imposed themselves into the viewer's space. Artists experimented with non-traditional media such as aluminum, plastics, and neon. Donald Judd and Dan Flavin in particular utilized these materials to create large scale geometric and neon configurations. Newly opened «art labs» – the Centre for Advanced Study of Science and Art, London, the Art and Technology Project for the Los Angeles County Museum of Art, and Experiments in Art and Technology (E.A.T.), New York – paired artists with scientists and engineers. By the beginning of the 1970s, monumental Pop icons, inert geometric configurations, and multimedia installations were the common idiom of sculptural expression.

But Minimalism's insistence on the «objecthood» of sculpture eventually became a restrictive, hermetic system for the next generation of sculptors. By the early seventies, artists wanted to close the rupture that Minimalism had caused between the handmade and the technological, between emotion and idea and, most critically, between abstraction and representation. Conceptual, Process, Earth and Body Art continued to consider space environmentally, and further altered our definition of the sculptural object. Extending sculpture beyond the gallery and into the natural environment, these movements magnified our awareness of art as an all encompassing experience. And as the 1980s draw to a close, the recent surge of installation art brings to fruition concepts posited early in this century.

1. Françoise Gilot and Carlton Lake. Life with Picasso, (New York: Mc Graw Hill, 1964), p. 219.

2. J. L. Martin, Ben Nicholson, and Naum Gabo. Circle: An International Survey of Constructive Art, (New York: Praeger, 1937), pp. 106-107.

3. Susan Lubowsky, Precisionist Perspectives: Prints and Drawings, exhibition catalogue, (New York, Whitney Museum of American Art at Philip Morris, March 2 - April 28, 1988), p. 4.

4. Sam Kootz, letter to The New York Times, August 10, 1941, Kootz Papers, Archives of American Art, New York, no. 1318.

5. Peggy Guggenheim, Works from the Peggy Guggenheim Foundation. (New York, The Solomon R. Guggenheim Foundation, 1969), pp. 3-4.

6. Frederick Kiesler, «The Future: Notes on Architecture as Sculpture,» Art in America, 54 (May-June 1966), p. 68.

Brief segments of this essay have been excerpted from the author's catalogues for the Whitney Museum of American Art at Equitable Center's current exhibitions: «Enclosing the Void: Eight Contemporary Sculptors» and «Sculpture Since the Sixties from the Permanent Collection of the Whitney Museum of American Art».

Torre di Carte
Installazioni e declino del modernismo americano negli anni
Sessanta e Settanta
Dan Cameron

L'arte dell'installazione, che sembrava caduta in uno stato di semi-permanente ibernazione dopo il periodo di splendore della prima metà degli anni Settanta, torna oggi sulla breccia, pronta alla vendetta. Provocate in parte dal tacito riconoscimento del carattere sempre più mercificato delle belle arti e ispirate a volte a propositi sinceramente populisti, queste nuove installazioni non presentano quella fortuita proliferazione di frammenti e materiali che aveva finito per caratterizzare questa forma d'arte una quindicina d'anni fa. Ma questo non significa che prendano alla leggera le idee. Il fatto è che sono sempre di più gli artisti che percepiscono le illimitate potenzialità dell'installazione sul piano di un accresciuto controllo dell'opera, contrapposto al totale abbandono. Di conseguenza, le installazioni più recenti tendono in larga misura ad accantonare le loro basi anti-formali, e preferiscono piuttosto catturare l'osservatore con effetti di godimento accuratamente orchestrati. Il fatto che alcuni di questi effetti si rivelino un'arma a doppio taglio significa solo che le installazioni sono ancora una componente vivace dell'arte contemporanea.

Le installazioni sono entrate a far parte del lessico dell'artista americano alla metà degli anni Sessanta, come consolidamento di molti presupposti extra-formali avanzati nell'ambito della sequenza Happenings/Pop/Fluxus/Judson. Una volta che l'arte di avanguardia ebbe scavalcato sana e salva le barriere dell'oggettualità, divenne relativamente facile avventurarsi ancora oltre, per proporre un'arte che si collocasse alla periferia della visione, che «incapsulasse» l'osservatore, un'arte che si potesse sentire/gustare/toccare/ascoltare, e non solo vedere. A causa della vastità dei successivi contributi di Robert Smithson a questa forma, è difficile rivivere l'ottimismo generato da quei primi tentativi di staccarsi dalla parete per scendere nell'arena del percepito e del vissuto di chi guarda. Ma l'installazione è evidentemente una forma che ha subito dimostrato la sua capacità di adattarsi alle priorità stilistiche e alle vicissitudini del pubblico gusto.

Le prime vere e proprie installazioni erano orientate un tempo in senso teatrale e scultorio, cominciando con gli Happenings di Allan Kaprow per continuare con gli «ambienti» di Jim Dine, Claes Oldenburg, George Segal e Edward Kienholz. Di fatto un'opera pionieristica come i *18 Happenings in 6 Parts* di Kaprow, presentata nel 1959 alla Galleria Reuben di New York, dimostra che l'arte dell'installazione e le performance di avanguardia andarono maturando simultaneamente e parallelamente nell'ambito della stessa comunità. C'è chi sosterrebbe che le radici di questa attività sono da ricercare nelle mostre di Jasper Johns, concepite come singola opera d'arte, ma è più probabile che le manifestazioni anti-borghesi di vari artisti europei di diversa estrazione come Yves Klein, Meret Oppenheim e Kurt Schwitters (per non parlare di quella pietra miliare che fu la mostra *This is Tomorrow* alla Whitechapel Art Gallery nel 1957) abbiano fornito più diretta ispirazione ai ribelli dell'altra sponda dell'Atlantico.

Ad eccezione di Kaprow, questo gruppo originario richiedeva un contenuto figurativo per dare impulso alle proprie installazioni, e questo fattore (accanto ad una persistente riluttanza critica ad affrontare formalmente le implicazioni *scultorie* della loro produzione) ha condotto ad una certa qual marginalizzazione del suo lavoro nella storia.

L'ossessione dei materiali tipica dei tardi anni Sessanta, che ha dato frutto nelle stanze anti-forma di Robert Morris nel 1968 e nella serie *Casting* di Richard Serra nel 1969 (piombo caldo schizzato sulla parete e lasciato seccare in loco), imponeva i problemi di questa *room-sized art* all'attenzione della riflessione critica. Di fatto si può documentare ampiamente che una certa fase degli anni Settanta si è preoccupata principalmente di questioni attinenti all'installazione: che lavorassero con la pittura, la scultura, il video, la fotografia o qualsiasi altro medium, moltissimi artisti si sono interessati direttamente alla manipolazione dello spazio in cui la loro arte veniva presentata. Naturalmente, la scultura aveva cominciato ad allontanarsi concettualmente sempre di più dalla sua esistenza come cosa, e stava gradualmente divenendo un *luogo*. Questo significava che ben presto si sarebbe andati a guardare più da vicino opere come *Room*, la stanza degli specchi di Lucas Samaras (1966), o gli spettrali aggruppamenti di anime perdute di George Segal (iniziati nel 1965), o *The Store* e *Store Days* di Oldenburg (entrambe del 1965), o gli straordinari incubi dei tableaux di Kienholz (a cominciare da *Roxy*, del 1961) o perfino le scorrerie di Andy Warhol nella vita notturna-come-arte, per concludere che opere come queste non si limitavano ad avventurarsi in un nuovo terreno stilistico, ma aprivano di fatto un'era completamente nuova nella riflessione sull'arte.

Retrospettivamente, la propensione degli scultori verso le opere di installazione nel senso più pieno può essere usata come termine di paragone fra i principali artisti americani dei tardi anni Sessanta e primi anni Settanta. Non c'è dubbio che questo sia uno dei pochi dettagli rispetto ai quali certi contributi basati sulla performance, come quelli di Kaprow, Robert Whitman e Yoko Ono, sono accomunabili significativamente col lavoro di importanti post-minimalisti come Bruce Nauman, Keith Sonnier, Eva Hesse, Dan Flavin o perfino Robert Morris (che certamente partecipò ad entrambi i gruppi). In questo contesto, vale anche la pena di sottolineare che l'uso della stanza come allegoria ambientalistica è stato un tema che è sopravvissuto ben più a lungo vuoi delle strategie più letterali degli artisti di Earthworks, vuoi del paradigma riduttivista dei minimalisti. Certamente il fattore che rende l'opera dei primi Mel Bochner e Barry Le Va tanto più interessante di quella della maggior parte dei loro contemporanei è l'estensione dell'estetica operativa a tre dimensioni, che combina la notazione lineare/numerica con l'insistenza fisica dello spazio diagrammatico. In altri termini, se ci mettiamo davanti oggi una scatola di Judd e una scatola di Morris, uno dei contrasti più significativi è dato dal modo in cui quest'ultima sembra trasudare semioticamente nell'ambiente dalla sua posizione fissa di scultura, mentre quella di Judd rimane enfaticamente al suo posto.

L'aspetto allegorico è cruciale nel considerare l'installazione come medium pluralistico, perché è il punto critico su cui, alla metà degli anni Sessanta, s'innesta la divergenza di due storie: verso la pittura a campi cromatici e la scultura Greenberghiana ad un estremo, all'altro verso il turbinoso continuum che raccoglieva il Pop, il video, la performance d'avanguardia, il concettualismo e altri aspetti dell'arte post-minimale. Il fallimento ultimo del manierismo modernista (Caro, Olitski, Steiner ed altri) può essere forse definitivamente attribuito (se è il caso di farlo in così tarda data) al suo deciso rifiuto di percepire l'opera d'arte come oggetto disegnato che trova posto in uno spazio sociale soggettivo, un punto su cui sembra che l'esempio di David Smith sia stato ignorato da molti dei suoi discepoli.

Dal punto di vista formale, il luogo in cui la scultura di installazione sembra aver raggiunto i limiti del suo indirizzo riduttivista va ricercato nella *room-size art* di certi artisti meno noti associati al tardo minimalismo: Richard Nonas, Fred Sandbach, Ronald Bladen, Julius Tobias, e – sebbene sia più conosciuto – Carl Andre. Il lavoro di questi artisti offre un paradigma più chiaro per alcune idee attuali nel campo delle installazioni, di quanto non faccia l'opera di certi scultori concettuali maggiori a cui si attribuiscono di solito i più alti risultati nel campo dell'installazione stessa (Dan Flavin, Joseph Kosuth e Sol Lewitt sono i primi a venire in mente). Le qualità di Bladen e Nonas che sono più pertinenti al nostro discorso sono quelle che consentono all'osservatore di percepire in un sol colpo la scultura e la stanza, sebbene il piano frontale dell'opera mantenga la stessa originarietà di una pittura. Qui l'installazione era vista come un singolo gesto percettivo: il «pezzo» forzava i limiti assoluti della forma, mentre definiva un interno che non può essere percepito al di fuori del suo contesto «dentro» la scultura.

A cominciare dal modello oggi distrutto per *Tar Pool and Gravel Pit* (un Earthwork di prima maniera proposto per Filadelfia nel 1966), l'uso da parte di Robert Smithson del modello dialettico per estrapolare la sua posizione estetica ha costituito un passo importante nell'evoluzione dell'idea di installazione, perché, ponendo l'ambiente come una delle due metà dell'equazione dialettica, Smithson sottolineava implicitamente l'artificialità dell'esposizione come fenomeno ristretto ad una singola idea di spazio letterale. Egli voleva soprattutto far sì che l'arte manifestasse continuamente una autoconsapevolezza del suo stesso contesto. Ma non è questo aspetto del suo pensiero ciò che infonde alle sue installazioni «non locali» quella loro peculiare pensosità: quei riferimenti geografici, quegli specchi che spalancano spazi, alludono ad una dimensione invisibile, sono un tacito segnale rivolto all'infinito, che si può più facilmente interpretare come sintomo del suo amore del pittoresco. Eppure inserendo un frammento del mondo esterno dentro la scultura, Smithson ricomponeva efficacemente lo scarto fra astrazione e natura, pur non senza aver prima riaffermato il rettangolo incorniciato come finestra permanente sulla realtà. Come i tardi minimalisti, Smithson sfidava la supremazia della stanza solo per rinvigorirla con quegli stessi sforzi.

Grazie soprattutto ai contributi di Bruce Nauman, Dennis Oppenheim e Nam June Paik, la video art ha mantenuto questa finestra per tutto il resto degli anni Settanta, ma ha istantaneamente alterato la scala implicita di installazioni successive attraverso la sua intimità percettiva con l'osservatore. Le installazioni di Naumann, video e di altro genere, erano spesso incontri situazionali con lo spettatore, che veniva reso acutamente consapevole della sua presenza all'interno del pezzo. Gli inquietanti tableaux/installazione realizzati da Oppenheim verso la metà degli anni Settanta intensificavano questa intimità creando allestimenti in cui le figure interpretavano scene intensamente psicologiche, sebbene su scala non molto più grande di una casa delle bambole.

Il lavoro di Paik nello stesso periodo comprende diverse installazioni multischermo che fanno esplicito riferimento al paesaggio ovvero allo spazio espositivo come una sorta di santuario. Fra gli altri artisti che nello stesso periodo si sono interessati all'idea della galleria come video o «campo» percettivo vi sono Peter Campus e Dan Graham.

Ma l'artista a cui si può riconoscere il merito di aver creato una continuità fra il lavoro esplorativo degli anni Settanta e le installazioni più convenzionalizzate o solidificate che abbiamo oggi, è probabilmente Vito Acconci. Unica figura di rilievo nell'arte americana recente ad aver prodotto, nell'arco di quasi un ventennio, pressoché esclusivamente installazioni, Acconci è stato anche uno dei più innovativi esponenti di questa forma d'arte nei tardi anni Ottanta. Ma per rinvenire una linea di coerenza con le tematiche attuali di questo medium, è sufficiente citare *Seedbed* (1972), in cui l'artista si nascose alla vista dell'osservatore sotto il falso pavimento costruito nella Galleria Sonnabend. Quasi a richiamare l'attenzione su certe ambivalenze che ogni artista deve affrontare in una società post-industriale, il fatto che Acconci fosse *Effettivamente* presente nella stanza appariva insignificante rispetto all'ansia che la sua *presunta* presenza effettivamente produceva. Bastava che lo spettatore credesse che l'artista c'era, da qualche parte, e guardava, perché si vanificasse quella superiore posizione di imperscrutabilità di cui gode l'osservatore davanti ad un dipinto o una scultura. Acconci incapsulava a tutti gli effetti l'osservatore nella sua opera, mentre lui, l'artista, ne rimaneva tranquillamente fuori. Questo tipo di dinamica esiste ancora in buona parte delle opere che si producono sotto l'appellativo descrittivo di «installazione», solo che lo spettatore viene oggi istruito a guardare verso l'esterno per osservare l'artista all'opera alle estremità.

House of Cards
Installation and the Decline of American Modernism
in the 60's and 70's
Dan Cameron

☐ *The art of installation, which seemed to be resting in semi-permanent hibernation since its heyday of the early and mid-1970's, is back with a vengeance. Provoked in part by a tacit acknowledgement of the increased commodity status of fine art, and inspired at times by sincerely populist aims, these new installations are not the random proliferations of fragments and materials that came to define the form a scant fifteen years ago. But this does not mean that they seem to take their ideas lightly, either. It is simply that more artists today are seeing the limitless potential of installation in terms of increased control of the work as opposed to total abandonment. As a consequence, recent installation work tends to refute much of its anti-formal basis, preferring instead to engage the viewer through carefully engineered effects of pleasure. That some of these effects also happen to backfire would indicate that installations are still very much on the cutting edge of contemporary art.*

Installations slipped into the American artist's vocabulary during the mid-1960's, as a consolidation of many of the extra-formal premises put forth by the Happenings/Pop/Fluxus/Judson network. Once vanguard art had safely cleared the barriers of objecthood, it became relatively easy to venture further, to propose an art which occurred on the periphery of vision, which encased the viwer, and which could be felt/tasted/touched/heard, and not just seen.

Because of the magnitude of Robert Smithson's later contribution to the form, it has been difficult to recapture the optimism occasioned by those first tentative moves off the wall and into the sensate arena of viewers' lives. But the installation piece is clearly a form which quickly demonstrated its ability to adapt itself to stylistic priorities and the vicissitudes of public taste.

The first bona-fide installations were both theatrically and sculpturally oriented, beginning with Allan Kaprow's Happenings and continuing with the environments of Jim Dine, Claes Oldenburg, George Segal and Edward Kienholz. In fact, a seminal work like Kaprow's 18 Happenings in 6 Parts, presented in 1959 at New York's Reuben Gallery, shows that the maturation of installation art and avant-garde performance were concurrent processes with roots in the same community. Some would argue that the roots for his activity might be found in Jasper Johns' early interest in the solo exhibition as a single work in itself, although it is more likely that the anti-bourgeois manifestations of European artists as diverse as Yves Klein, Meret Oppenheim and Kurt Schwitters – not to mention the watershed This is Tomorrow exhibition staged at the Whitechapel Art Gallery in 1957 – provided a more direct impetus for rebels on the other side of the Atlantic.

Except for Kaprow, this germinal group required figurative content to propel their installations, and this factor – plus a lingering critical reluctance to deal formally with the sculptural implications of their output – has tended to marginalize them a bit in history. The late 60's obsession with materials, bearing fruit in Robert Morris' 1968 anti-form rooms, and Richard Serra's 1969 Casting series (hot lead splattered onto a wall and dried in place), actually propelled the

issues involved in room-sized art to the foreground of critical thinking. In fact, a phase of the 70's can be documented as concering itself primarily with installation issues; that is, regardless of whether they were working within painting, sculpture, video, photography or any number of other media, a rough majority of artists addressed themselves directly to the direct manipulation of the space in which the art was presented. Clearly, sculpture had begun moving conceptually futher away from its existence as a thing, and gradually becoming a place. This meant that eventually people were to take a closer look at Lucas Samaras' mirrored Room of 1966, George Segal's spectral groupings of lost souls (begun in 1965), Oldenburg's The Store and Store Days (both 1965), Kienholz' uniquely nightmarish tableaux (beginning with 1961's Roxy) and even Andy Warhol's forays into night-life-as-art, and conclude that works such as these were not merely a venture into new stylistic terrain, but in fact ushered in a completely new era of thinking about art.

In retrospect, sculpural inclinations toward full-blown installation projects can be used as a point of comparison between key American artists of the late 60's/early 70's. Certainly, it becomes one of the few details on which the performance-based contributions of a Kaprow, Robert Whitman or Yoko Ono seem to overlap significantly with the work of key post-minimalists like Bruce Nauman, Keith Sonnier, Eva Hesse, Dan Flavin or even Robert Morris (who certainly bridged both groups). In this context, it is also worth pointing out that the use of the room as an environmental allegory has sustained itself as an issue much longer than either the more literal strategies of the Earthworks artists or the reductivist paradigm of the minimalists. Certainly, the factor which makes the early work of Mel Bochner and Barry Le Va so much more interesting than that of most of their contemporaries is in their extension of operational aesthetics into three dimensions, combining linear/numeral notation with the physical insistence of diagrammatic space. Or, to take a different tact, place a Judd box and a Morris box in front of you today, and one of the most striking comparisons is the way in which the latter seems to semiotically ooze from a fixed position as sculpure into the environment at large while the Judd emphatically stays put.

The allegorical aspect is crucial in considering installation as a pluralistic medium because it is the critical point on which two histories diverge in the mid-60's: towards color-field painting and Greenbergian sculpture at one extreme, and the messy continuum that bridged Pop, video, avant-garde performance, conceptualism and other aspects of post-minimal art at the other. Perhaps the most definitive case can be made (if one is needed at such a late date) for the ultimate failure of mannerist modernism – Caro, Olitski, Steiner, et. al. – on the basis of its determined refusal to perceive the work of art as a designed object within a subjective social space, a point on which many of his disciples seem to have ignored the example of David Smith.

Considered as a formal issue, the point at which installation sculpture seems to have reached the limitations of its reductivist direction was in the room-scaled art of certain lesser-known artists associated with late Minimalism: Richard Nonas, Fred Sandback, Ronald Bladen, Julius Tobias, and – although he is better-recognized – Carl Andre. This work offers a clearer paradigm for some current ideas in installation than does the work of certain major conceptual sculptors who are most frequently credited with installation's greatest achievements (Dan Flavin, Joseph Kosuth and Sol LeWitt spring to mind most readily). The qualities in Bladen or Nonas which are most pertinent to this discussion are those which allow the viewer to take in the sculpture and the room in a single scan, while keeping the frontal plane of the work as pristine as a painting. This was installation seen as a single perceptual gesture: the 'piece' pushing the absolute limits of form, while defining an interior which cannot be perceived aside from its context 'within' the sculpture.

Beginning with the now-destroyed model for Tar Pool and Gravel Pit (an early Earthwork proposed for Philadelphia in 1966), Robert Smithson's use of a dialectical model to extrapolate his aesthetic position was an important step in the evolution of the idea of installation because, by always positing the environment as one half of the dialectical equation, he was implicity emphasizing the artificiality of the exhibition as a phenomenon restricted to a single idea of literal space. Above all else, Smithson wanted art to perpetually manifest a self-awareness of its own context. However, this aspect of his ideas is not what infuses his 'non-site' installations with their peculiar quality of wistfulness; the yawning mirrors and geographical references bespeak an invisible dimension, a nod to infinity, that can more easily be read as a sign for his yearning toward the picturesque. Yet by inserting a fragment of the outside world within the sculpture, Smithson effectively closed the gap between abstraction and nature, although not without first reestablishing the framed rectangle as a permanent window into reality. Like the late minimalists, Smithson challenged the supremacy of the room only to re-invigorate it through the same efforts.

Due largely to the contributions of Bruce Nauman, Dennis Oppenheim and Nam June Paik, video art maintained that window through the rest of the 70's, but instantly altered the implied scale of successive installations through its perceptual intimacy with the viewer. Nauman's installations, video and otherwise, were often situational encounters with the spectator, who was made overly aware of his/her presence within the piece. Oppenheim's disturbing installation tableaux of the mid-70's heightened this intimacy by creating sets in which the figures acted out intensely psychological scenarios, though on a scale not much larger than dolls. Paik's work of the same period includes several multi-screen installations which make explicit reference either to landscape or to the idea of the exhibition space as a type of shrine. Other artists of the same period involved with the gallery as video or perceptual 'field' include Peter Campus and Dan Graham.

To a large degree, the artist who can best be credited with providing a continuity between the exploratory work of the 70's and the more conventionalized or solidified genres of installation which exist today is Vito Acconci. As the only major figure in recent American art whose output over nearly two decades consists almost exclusively of installations, Acconci has also been one its most innovative practitioners in the late 80's. However, for the sake of establishing consistency with current issues in the medium, it is really only necessary to cite Seedbed (1972), in which the artist hid from the viewer's sight beneath the false floor built within the Sonnabend Gallery. As if to draw attention to certain ambivalences facing all artists in a post-industrial society, the fact that Acconci was actually present in the room seemed insignificant with regard to the anxiety which his supposed presence actually caused. It was enough for the spectator to believe that the artist was somewhere nearby, watching, to refute the superior position of inscrutability which a viewer has in front of a painting or sculpure. Acconci, for all intents and purposes, enclosed the viewer within his work while he, the artist, remained safely outside. This dynamic persists in terms of much of the work being produced under the descriptive appellation of 'installation', except that the viewer today is now instructed to face outwards in order to observe the artist performing in the extremities.

Dentro-Fuori
Loredana Parmesani

Se è vero che lo spazio è la razionalizzazione misurata di uno stato primordiale di intimità dell'uomo con la natura dove questa si confonde con quello come in un abbraccio infantile, allora è anche vero che ciò che si immette nello spazio è la misura di un oggetto catalogato sotto il nome che lo unisce al referente: le parole dicono le cose. Lo spazio diviene allora recinto, proprietà, il mio o il nostro spazio.

Il pensiero dell'installazione in arte presuppone l'autonomia di quest'ultima intesa come recinto dove è possibile collocare di volta in volta il gesto e l'oggetto come valore. Installazione è per questo motivo un concetto moderno che ha nella gestione dello spazio addomesticato la sua economia e la sua filosofia. Agire nello spazio prestabilito è come vivere nei recinti della personalità autoritaria borghese, come vivere al riparo, nella quiete domestica, di una forte ideologia, di un grande racconto.

Duchamp non si comporta in maniera differente dal pastore del periodo neolitico che delimitato il recinto, la geografia come proprietà, vi introduce il regno animale per custodire la sua nutrizione. Se per il vivere moderno l'installazione si presenta come una misura equilibrata al mondo della vita, per l'attualità postmoderna, che ha cessato di avvalersi dei grandi racconti e degli spazi prestabiliti a favore di ciò che invece esiste nel transito e nell'apparire continuo del simulacro, essa si dà in maniera problematica, quasi impossibile. Così come non si può mettere dentro nel non conosciuto è altrettanto vero che la conoscenza è proprio là, al di là del conosciuto: la risata di Duchamp. La sua ruota di bicicletta giocata nell'autonomia dell'arte mentre si installa nel regno del bello ironicamente se ne distoglie, esce fuori con un divertimento simile a quello della risata di Bataille al culmine del sapere assoluto. Indicativa è la sua porta che apre e chiude contemporaneamente: un dentro e un fuori che si avvalgono del recinto come principio del piacere e nel medesimo tempo lo negano. Se l'avere muove il desiderio del chiudere, l'essere muove il desiderio dell'aprire, aprire le stalle per far uscire i buoi, aprire i collegi per far divertire le educande, è la *dépense* che avverte la razionalità che il mondo non si può avere.

Allan Kaprow e Robert Rauschenberg aprono la spazialità bidimensionale del quadro all'evento, all'Happening nel momento stesso in cui dalla personalità autoritaria del pensiero occidentale fuggono via i desideri di un nuovo Eden. Il pensiero della permissività presuppone infatti la chiusura dello spazio come limite alla trasgressività stessa. Anche la produzione nella sua accelerazione industriale passa da bene ereditario a bene di consumo, ma il consumo è proprio quello che invita alla fine lo spazio a farsi mobile, la casa a farsi camper, la proprietà ad essere affittata.

Mentre tutto il mondo vive fuori come apparenza spettacolare – il transito continuo della vita – l'installazione vorrebbe rientrare dentro. Ma dentro cosa?

In un mio recente testo sostenevo la tesi che l'autonomia dell'arte e la filosofia che le corrisponde – l'estetica – siano state sostituite in quanto capacità di giudizio da una fluttuante economia che ha in sé la prerogativa di essere anche una buona economia. Più che una mia tesi è la pratica del sistema dell'arte che viene agita: un fatto.

Il problema di Duchamp, del suo *ready made* che presupponeva lo spazio solido dell'arte teorizzata viene oggi a mancare quasi completamente. Calcolata nel transito la sua ruota non può più essere offerta alla contemplazione quanto invece all'azione, al movimento. È possibile così pensare di acciuffare la ruota di bicicletta per rimontarla a bicicletta, una bicicletta che corre a destra e a manca nell'economia instabile del sistema dell'arte. Una installazione pensabile è infatti non ciò che sta dentro lo stallo, lo spazio, ma ciò che sta fuori dallo spazio, dal recinto. Misurato il mondo si tratta ora di vivere fuori dal globo l'esperienza della prima retta.

Sicuramente trovo privo di interesse considerare lo spazio come qualcosa da riempire, come una stanza da arredare, quanto invece trovo eccitante estrapolare dal mondo dell'arte e dalla sua autonomia i segni imprigionati per ridar loro attività. Riguardare il passato, l'ora nella geografia del qui e ciò del resto che distingue il pettegolezzo postmoderno inteso come moda, sia pur per un soffio, da ciò che un tempo si sarebbe detto il parlare vero, il sapere la verità. Se nella post-storia si dà vita a ciò che nel passato furono lo spazio e il tempo è chiaro che l'operazione presuppone *almeno* la conoscenza della storia: tutti fuori casa, fuori luogo, ma come trasformazione della casa e del luogo.

Analogamente allo spazio e al tempo della teoria corrisponde a livello sociale l'industria moderna come immobile in cui introdurre la macchina lavorativa capace di dare la sua *dépense* accelerata: gli oggetti di consumo.

Se al processo dell'installazione corrisponde quello opposto del consumo allora è anche chiaro che non si mette dentro, nello spazio, nella cassaforte, nel tabernacolo, ai fini di avere, ma ai fini di spendere: ecco, io sono un santo ed ora faccio il diavolo. Sicuramente è chiaro che ciò che si installa nella macchina riproduttiva non è più ciò che deve essere contemplato, ma uno strumento per arricchire la nuova concezione di spazio che sta dietro all'installazione: la fluida speculazione economica che non conosce recinto ma corre per tutto il mondo senza fondamento alcuno. È questo il valore che giustifica il mettere dentro della produzione e il portar fuori del consumo.

Economisti, Hegel e Marx mostrano che l'installazione sta alla base, come la filosofia stessa, del mondo borghese; ciò che si introduce nel mondo del lavoro è la capacità stessa di produrre il consumo, ma produzione e consumo non sono la finalità del lavoro in quanto questa è puramente teorica e speculativa nel doppio senso del termine.

Se il portar dentro è però un pensiero tipico del moderno in cui le stesse avanguardie si muovono e portano all'interno dell'arte gli elementi per farla funzionare verticalmente, il portar fuori è tipico del postmoderno. Così al mito dell'apparenza e del simulacro, al vivere fuori piuttosto che all'interno del recinto corrisponde nel mondo quotidiano del lavoro, che vive l'introduzione della macchina nel luogo stabile dell'industria, un valore relativamente basso rispetto all'avviamento della stessa. Allora l'industria non è più interna ma esterna, managerialismo e gestione superano spesso d'importanza la macchina produttiva, il terziario prende potere, l'investimento avviene fuori.

L'economia post-industriale erede del cacciatore del paleolitico più che del pastore del neolitico ha saputo imbrigliare chi sta dentro e chi sta fuori dal recinto utilizzando i trucchi tipici della caccia e le maschere tipiche della finzione. Esercitando il nomadismo di uno spazio mobile che attraverso gli esercizi dell'accumulo e della spesa è stata in grado di gestire come delle buone azioni (blue chips) i concetti filosofici di spazio e tempo, di interno ed esterno ed i loro relativi valori. Questa fluidità mobile che appare immediatamente come l'opposto della concretezza spaziale non è però priva di finalità, in essa è racchiusa infatti l'aspirazione al più alto degli ideali che ha mosso il pensiero occidentale: il volere, la volontà di potenza. Volere il nomadismo fluttuante del denaro per esercitare il potere sul sapere. Per questo il sapere è invitato a guardare al di là dell'installazione, per guardare in faccia il volto ripugnante del leone-manager e sfidarlo con il sorriso di un bambino-scugnizzo disposto a giocare la partita del sapere col potere a dadi. Una partita conoscitiva giocata con l'Altro al fine di non volere la vittoria, ma la perdita del volere che attraverso trucchi e inganni coglie al centro il potere stesso: il desiderio di volere.

«Io so che tu vuoi» dice lo scugnizzo, «ma so anche che tu vuoi perdere il potere sulla fluidità».

Se il potere è il sapere, il sapere è la tentazione continua, l'invito al potere di perdersi. Altra sfida non conosco.

Per far ciò è necessario ricordarsi che installare oggi è soprattutto un portar fuori, un «ex» più che un «in», un investire all'esterno che poco ha a che fare con l'occupazione dello spazio. Più simile alla tecnica usata per bloccare un taxi che a quella di arredare una casa.

Solo così lo spazio ridotto a transito può tentare di essere sedotto per abbandonarsi alla testa del volere-potere affinché questa testa sia conquistata da un volere opposto alla tentazione che ancora possiede. Volere non volontà. Comunismo come comunione di sé con l'altro. Principio di piacere e principio di morte come necessità per vivere bene.

Inside · Outside
Loredana Parmesani

☐ *If it is true that space is the measured rationalisation of mankind's primordial intimacy with Nature, the two blending in a kind of childlike hug, then it is also true that whatever is projected into space is the measure of an object which is catalogued under a name linking it to the referent: words say things. Space thus becomes an enclosure, property, "my" and "your" space.*

The concept of the installation in art assumes the autonomy of that art, understood as an enclosure where from time to time the gesture or the object may be placed as values. Installation is for this reason a modern concept which finds its economics and its philosophy in the management of tamed space. To act in pre-established space is like living within the enclosures of the middle-class authoritarian personality, like living in the sheltered domestic peace of a strong ideology, of a well-known story.

Duchamp behaves no differently from the neolithic shephered who, having once fenced off the enclosure, thus converting geography to property, fills it with that animal life which will guarantee his nutrition.

If in terms of modern life the installation is seen as a balanced must measure of that of living, its assimilation into post-modern reality, be problematic and almost impossible, since in its present trends art has ceased to tell stories or use pre-established spaces and instead favours the transitory, and the continuous appearance of the simulacrum. Thus, just as installation cannot be classified as unknown, so it is also true that knowledge is right there, just beyond the known: Duchamp's laughter. His bicycle wheel which declares itself as belonging to the autonomy of art while installing itself in the realm of beauty, ironically pulls away from the known, escapes with an amusement resembling that of Bataille's laughter as the height of absolute knowledge. His door which opens and closes at the same time is indicative; we have an inside and an outside which avail themselves of the enclosure as a pleasure principle while simultaneously denying is as such. If "having" leads to the desire to "enclose", "being" leads to the desire to "open up": to open up the stables to let the oxen out, to open up the boarding schools to amuse the schoolgirls; it is the dépense which warns rationality that the world is not to be had.

Allan Kaprow and Robert Rauschenberg open up the two-dimensional space of the picture plane to the event or happening at the very moment in which the desires for a new Eden pass from the authoritarian personality of Western thought. The idea of permissiveness, in fact, implies the enclosure of space as a limitation of transgression. With the acceleration of the industrial process, products, too are changed from inherited goods into consumer goods, but it is that very consumer mentality that urges space to become mobile, the house to become a camper, property to be rented.

While the whole world lives an external life of showbusinesslike appearances, in continuous transit, the installation tries to get back inside. But inside what?

In a recent essay I argued that the autonomy of art and its

Marcel Duchamp
Porte: 11 rue Larrey, Paris, 1927
Galleria Schwarz, Milano

corresponding philosophy (aesthetics) have been substituted, in terms of ability to assess, by a fluctuating economics which has the prerogative of also being a good economics. Here what is put into play is not so much my theory as the actual practice of the art system. The problem of Duchamp, of his readymade objects which took for granted the solid space of theorised art, is nowadays almost totally non-existent. Conceived in terms of the transitory, his wheel no longer invites contemplation; rather, it evokes action and movement. It is thus possible to think of seizing the bicycle wheel to put it back onto the bicycle, a bicycle which is ridden back and forth inside the unstable economics of the art system. An acceptable installation is in fact not one that remains inside the stable, the space, but one that is outside that space and that enclosure. Having measured the world, we must now transfer the experience of the first dimension into a life beyond the limits of the globe.

I certainly find it uninteresting to consider space as something to fill, like a room to furnish, while I find it exciting to extract imprisoned signs from the art world in all its autonomy and give them new life. Looking at the past, the "now" within the geography of the "here," is what after all distinguishes post-modern, fashionable smalltalk from what would once have been called "true" talk, knowledge of the truth, slight as this distinction may be. If in post-history life is given to what were known in the past as space and time, it is clear that the operation assumes at least a knowledge of history: everyone out of the house, out of context, but as transformation of the house and the context. Modern industry is the social analogue of the space and time of theory, in that it may be seen as the structure into which the working machine is placed, guaranteeing a speeded-up output of consumer goods.

If the process of consumption corresponds to its opposite, that of installation, then it is also clear that things are not put inside space, in a safe, or in a tabernacle, in order to "have", but in order to "spend": look, I'm a saint and now I'm going to be a devil.

It is surely clear that what is installed in the reproductive machine is no longer something to be contemplated, but rather a means for enriching the new concept of space which underlies the installation, i.e. the fluid economic speculation which knows no bounds but runs all over the world without any foundation. This is the value which justifies the putting-in of production and the taking-out of consumption.

Hegel and Marx, as economists, show that the installation is, like philosophy itself, at the basis fo the middle-class world. What is introduced into the working world is the actual capacity for production of consumer goods, but neither production nor consumption are the objective of work since this objective is purely theoretical and "speculative" in both its senses. If "bringing in" is a typical modern attitude, where the avantgarde itself brings into art the elements to make it work vertically, the "taking-out" is typically post-modern. Thus the introduction of the machine into the stable factory site in the everyday, working and living world corresponds to the myth of appearance and simulacrum, to living outside rather than inside the enclosure. This represents a lower value than the actual starting-up of the industrial process. So the factory is no longer internal but external, management and its ethic often outdo the production machine in importance, the service industries gain power, investments come from the outside. The post-industrial economy (successor to the paleolithic hunter rather than to the neolithic shepherd) has managed to restrain those within and without the enclosure using typical hunting ploys and theatrical masks. Using the nomadism of a mobile space, and the exercises of accumulation and spending, it has been able to manipulate the philosophical concepts of space and time, of interior and exterior and their relative values, like good equities (blue chips). This mobile fluidity which immediately appears to be the opposite of special concreteness is not without objectives; it in fact encloses the aspiration to the highest ideal which has ever affected Western thought: the desire, the will for power, the desire for the fluctuating nomadism of money to exercise power over knowledge. This is why knowledge is asked to look beyond the installation, beyond its consumption to understand the reasons for circulation, to look the lion-manager in his repulsive face and to challenge him with the smile of a child/urchin ready to stake knowledge against power at dice. This is a game of knowledge played against the Other not out of desire for victory, but to provoke, the loss of that desire which has attracted power to its centre by means of tricks and cheating: this is the desire of wanting. "I know that you want", says the urchin, "but I also know that you want to lose your power over fluidity". If power is knowing, knowing is the continual temptation, an invitation to power to lose itself. I know of no other challenge. To do this one must remember that to install today is above all to take out, an "ex" more than an "in", investing in the outside which has little to do with the occupation of space; its more similar to the technique used for stopping a taxi than for furnishing a house. Only in this way can space reduced to transitoriness try to be seduced and thus give way to the desire/power idea so that this idea may be won over by a desire which is opposed to the temptation which it still possesses; wanting, not will; communism as a communion between the self and the Other; the pleasure principle and the death principle as requisites for good living.

Sull'installazione
Catherine David

Dove incomincia e dove finisce l'installazione?
Come tutti i termini apparsi all'orizzonte degli anni '60-'70 (Minimal Art, Arte Povera, Process Art, Arte Concettuale, Body Art, Land Art, ecc.) nel tentativo di descrivere delle pratiche artistiche complesse o le multi-media renitenti alle categorie tradizionali delle Belle Arti e individuate specialmente da Harald Szeemen nella sua mostra intitolata «*Quand les attitudes deviennent forme*» presentata a Berna, Amsterdam e Londra nel 1969-70, il termine «installazione» spesso è stato adoperato abusivamente persino fino ad indicare un genere o una categoria (così si è parlato addirittura di un «arte dell'installazione») inserendo e appropriandosi talvolta delle nozioni contigue di ambiente o di in situ. Tuttavia questo termine rinvia meno ad una qualsiasi tipologia di opere o ad una topologia che non alla questione fondamentale dei *limiti dell'arte* – delle forme e dello statuto delle opere – che percorre tutto il secolo dal Costruttivismo russo allo Stijl (Stile) olandese fino al Minimal, passando per Duchamp, Beuys e Warhol.
Se si accetta la definizione più ampia dell'installazione come «certe opere in un certo ordine (col)legate in un dato spazio», bisogna riconoscere che questo termine ha un campo di applicazione molto vasto nel tempo e nello spazio, che tende a ridimensionare la nozione dell'appendere (un quadro) che descrive e prescrive certi modi di presentazione delle opere. Questo tipo di preoccupazione è ovviamente legato alla riflessione sulla creazione del museo nel XIX° secolo e poi allo sviluppo delle tecniche moderne della riproduzione e del museo immaginario (foto, cartoline, libri e film d'arte, manifesti). Infatti, l'avvento del museo e della fotografia ha accelerato l'esilio delle opere d'arte dal loro luogo d'origine (pale d'altare, chiesa, palazzi ma anche ambienti e spazi più singolari e improvvisi che il capriccio o il potere del mecenate o del collezionista ha riservato all'artista) e il loro trapianto in luoghi senza legame alcuno con quello per cui erano state concepite. La storia della modernità è quella degli spostamenti molteplici, del nomadismo delle opere e dei segni, che tenta di fissare il museo, l'ultimo spazio riservato all'arte nelle società contemporanee e instaurato proprio da esse. Così il museo diventa l'ultima garanzia del valore e del senso.
In questo contesto, l'installazione rivendicata come uno spazio di libertà e praticata con più o meno precisione e successo dagli artisti contemporanei, fa parte della critica dello statuto dell'opera d'arte e delle condizioni dell'esperienza estetica nelle società moderne, come è stata intrapresa all'inizio del secolo da parte di Marcel Duchamp che, con l'invenzione del Ready Made ha posto immediatamente la dimensione nominalista della pratica moderna dell'arte. Prima di procedere bisogna dunque precisare la nostra definizione e supporre l'intervento diretto dell'artista con il risultato seguente: «certe opere (già esistenti o realizzate apposta) montate in un certo ordine *dall'artista* in un dato spazio». Infatti, se negli anni '60-'70, tenendo conto della natura spesso complessa delle opere (uso di elementi naturali e di materiali inediti, volumi ingombranti e persino intrasportabili, pericolo reale o simbolico

ecc.), il termine d'installazione si è imposto velocemente, la riflessione e l'intervento degli artisti sulla presentazione delle opere, vale a dire la loro articolazione con e nel mondo reale (di cui fa parte il museo, non senza i conflitti e le mediazioni di ogni genere che le opere contemporanee, appunto, registrano) è spesso esemplare nel corso del secolo: così citiamo i rilievi d'angolo di Tatline, il *Carré noir* appeso in angolo da Malevich alla mostra 0.10 nel 1915, il *Merzbau* di Schwitters o, più vicino a noi, la collocazione decisa da Beuys al Hessisches Landesmuseum di Darmstadt (insieme di grande rilievo, oggi minacciato di smantellamento per i fini di lucro del mercato). A questo proposito potremmo sostenere che la installazione rappresenta la somma di tutti i malintesi e l'indicatore di tensione nei rapporti tra arte e società. Il destino, spesso funesto, della maggior parte delle installazioni (distruzione, smantellamento) ha senza dubbio contribuito alla frequente ed erronea assimilazione di gran numero di esse alla arte effimera, un'area tra la performance e il teatro. È paradossale constatare che pochissimi artisti hanno potuto o hanno saputo provvedersi dei mezzi (pratici e anche giuridici) per assumere un controllo effettivo delle condizioni di presentazione delle opere importanti. Di conseguenza non si contano più le opere concettuali vendute (e soprattutto comprate!) senza certificato, gli insiemi mutilati per negligenza, per mancanza di spazio o per l'osservanza di misure di sicurezza draconiane (basti pensare ai *Fuochi* di Kounellis, presentati parecchie volte senza che le bombole di butano fossero state accese); ma soprattutto si potrebbe sostenere che il fantasma dell'esteriorità – la guerra di posizione, o l'ingenuo nascondino con (i muri del) l'istituzione-coltivata da una certa avanguardia modernista ha a lungo distratto gli artisti dal controllo effettivo dei mezzi specifici dell'inserimento e dell'articolazione delle loro opere all'interno di un campo culturale complesso di cui il museo non è che uno dei poli. In altre parole, lo spazio delle opere è anche, al di là dei muri del museo, lo spazio delle rappresentazioni culturali (foto, libro, film, spazio pubblico). Qui è lecito citare l'opera *Amerika* presentata da Lothar Baumgarten nel padiglione tedesco della Biennale di Venezia nel 1984 il cui aspetto interessante non è tanto di sapere o di decidere se si tratti di architettura, di scultura o di installazione, ma piuttosto di individuare e reperire i modi di funzionamento: il disturbo sistematico e la sovrapposizione violenta di segni appartenenti a due culture diverse, quelle indiana e quella europea, di cui l'una ha quasi eliminato l'altra. I tagli di categoria appaiono allora sono di tipo semantico ed epistemologico. Ciò che impressiona qui non è la distribuzione particolare di oggetti in uno spazio, ma il gioco sottile delle differenze e delle opposizioni (pigmenti/marmo, nomi di fiumi dell'Amazzonia/caratteri dell'Enciclopedia, laguna di Venezia/ Amazzonia, ecc.) che presiede all'invenzione di un luogo che esiste unicamente nel rapporto conflittuale tra due culture e due storie; sottile dialettica di presenza e assenza e, senza dubbio, bell'esempio di quello che potrebbe essere un (anti)monumento contemporaneo.

Così, la terminologia approssimativa degli anni '70 («installazione» ma anche «ambiente», «in situ», e persino «site specific»), dato che si tratta di opere che sfruttano livelli e spazi inediti, può essere sostituita con le nozioni di luoghi o strutture complesse che si avvalgono simultaneamente di molteplici reti di senso e di nuove operazioni culturali. Sotto questo aspetto, i progetti spettacolari di Robert Smithson sorpassano di gran lunga la dialettica del fuori/dentro (cioè il museo e i luoghi prestabiliti della cultura tradizionale) e la evasione romantica a cui troppo spesso sono stati ridotti. Infatti nessuna categoria tradizionale può accogliere e spiegare un'esperienza singolare come *Monuments of Passaic New Jersey* (reportage fotografico di una «passeggiata» nei sobborghi industriali semi deserti i cui relitti figurano come monumenti derisori) o *Spiral Jetty* (sito costruito, film, fotografia e antimonumento, adesso inghiottito dall'acqua del Grande Lago Salato), che si trasformano in «opere d'arte» soltanto attraverso l'esperienza di una coscienza, attraverso quello che si potrebbe considerare come un doppio movimento di emancipazione, da parte dell'opera e dello spettatore.
Per rimediare all'eccessiva dispersione delle opere e le presentazioni, spesso mediocri, nelle istituzioni e nelle collezioni pubbliche, che oggigiorno costituiscono delle infarinature (di tutto un po') più che dei reali insiemi significativi (una raccolta selettiva e un'installazione adeguata di più opere importanti dello stesso artista), alcuni collezionisti privati ed alcuni artisti hanno preso l'iniziativa di creare delle fondazioni con il compito di presentare delle installazioni monografiche permanenti (Don Judd, Walter de Maria, Chamberlain presentati in permanenza dalla Dia Art Foundation a New York e nel Texas) con la garanzia della presentazione ottimale del lavoro. Questi sviluppi recenti dell'installazione permanente, di cui troviamo gli antecedenti nella cappella Rothko a Houston, confermano la tendenza generale alla gestione privata di fondi importanti del patrimonio contemporaneo.
Si può dunque considerare l'installazione come un insieme eterogeneo di pratiche e di risposte diverse e talvolta opposte allo statuto complesso dell'arte e dell'artista nelle società contemporanee, con la comune preoccupazione di assicurare la supremazia dell'artista sulla natura e la coerenza dei suoi enunciati in situazioni spesso complesse.

On Installations
Catherine David

☐ *Where does installation start and where does it end? Like all terms created between the Sixties and the Seventies (Minimal Art, Arte Povera, Process Art, Conceptual Art, Body Art, Land Art, etc.) to try to describe complex or multimedia artistic experiences which go beyond the traditional categories of the Fine Arts and were singled out notably by Harald Szeemann in the exhibition* When Attitudes Become Form *held in Bern, Amsterdam and London in 1969-70, «installation» has often been misused, even to designate a genre or a category (legitimating thus the use of the expression «installation art») comprising at times the notions of in situ or of environment. However, the term «installation» doesn't have so much to do with a typology of art works or even a topology, as with the fundamental issue of the limits of art – of the forms and the status of works of art – continually raised all through the century, from Russian Constructivism to the Dutch Stijl and Minimalism, involving artists like Duchamp, Beuys and Warhol alike.*

If the broad definition of installation as «work(s) of art in a certain order (re)assembled in a given space» is accepted, the term can no longer be denied a vast field of application in time and space including the notion of hanging which describes and prescribes certain ways of presenting works of art. This type of concern is obviously connected to the issues raised by the creation of museums in the 19th century and the development of modern techniques of reproduction and of the imaginary museum (photographs, postcards, art books and films, posters). With museums and photography, in fact, works of art have been increasingly exiled from their «home» (the altar-piece, the church, the palace, but also the unique and unexpected places granted to the artist by his patron's power or imagination), and transplanted in places in no way connected to the ones they were conceived for. The history of modernity is a history of multiple displacements, of a nomadism of works of art and signs that the museum, the last space granted to art in and by contemporary societies, tries to settle, becoming thus the ultimate guarantee of worth and meaning. In this context, installation as free space, more or less justly and successfully practiced by contemporary artists, participates in the critique of the status of the work of art and of the conditions of the aesthetic experience in modern societies undertaken at the beginning of the century by Marcel Duchamp who, with the invention of the Ready Made, established at once the nominalistic dimension of the modern practice of art.

At this point, we must render even more specific our definition and assume the direct intervention of the artist: «work(s) of art (already existing or especially created) in a certain order assembled by the artist in a given space». The term installation became rapidly widespread in the Sixties and Seventies, considering the often complex nature of the works of art (use of natural elements and new materials, cumbersome volumes, real or symbolic danger, etc.). However, the reflection and intervention of the artists on the presentation of their works, that is their connection to the real world (to which the museum participates, though with all the

conflicts and mediations thus recorded in contemporary works of art) is often exemplary all throughout the century: we might mention Tatlin's reliefs en coin, Malevich's arrangement en angle of the Carré noir at the exhibition 0.10 in 1915, Schwitters' Merzbau or, more recently, the arrangment of his works decided by Beuys at Darmstadt's Hessisches Landesmuseum (a major collection now under threat of dispersal only to the advantage of commercial interest). In this respect one might say that installations represent the sum of all misunderstandings and the indicator of the tensions in the relations between art and society. The often grievous fate of the majority of installations (destruction, dismantlement), has undoubtedly encouraged the incorrect yet frequent classification of many of them among the ephemeral arts, somewhere between performance and theatre. It is likewise paradoxical to observe that only a few artists have been able to acquire the means (pratical as

Vladimir Tatlin
Contre-relief d'angle, 1915
Annely Juda Fine Arts, London

well as legal) to exercise real control over the conditions of presentation of their major works. Thus a great number of conceptual works are sold (and especially bought!) without a certificate, collections are dispersed from sheer negligence, for lack of space or to respect drastic security requirements (an example is offered by Kounellis's Fuochi, presented several times with the butane bottles unlit); but above all, we might say, it is the ghost of externalism – the trench-warfare or the naive game of hide-and-seek with (the walls of) the institution – nourished by a certain modernist avant-garde, which is responsible for this long term distraction of artists from the real control of the specific means to inscribe and articulate their works in a complex cultural field of which the museum is only one of the poles. In other words the space of works of art is also, beyond the museum's walls, the space of cultural representations (photographs, books, films, presentation in public spaces). Here we might mention Amerika, presented by Lothar Baumgarten in the German pavilion of the Venice Biennale in 1984: a work of art which, in the end, doesn't need to be considered or defined as architecture, sculpture or installation; rather, we seek to grasp its functioning: a systematic disturbance and a violent superimposition of signs belonging to two cultures – the European and the Native American – of which one has almost completely defeated the other. The categorial ruptures that appear are of a semantic and epistemological order. Here meaning is conveyed not by the specific arrangement of objects in a certain space, but rather by the subtle game of differences and oppositions (pigments/marble, names of Amazonic rivers/characters of the Encyclopaedia, Venice Lagoon/Amazon basin, etc.) presiding over the invention of a place that exists only in the conflictual relationship between two cultures and two histories; a subtle dialectics of presence and absence and undoubtedly a beautiful example of what a contemporary (anti)monument could be.

The inaccurate terminology of the Seventies («installation» but also «enviroment», «in situ», even «site specific») can thus be replaced, as we are dealing with works exploiting new scales and spaces, by the notions of complex places or structures simultaneously involving several networks of meanings and new cultural operations. Robert Smithson's spectacular projects thus go far beyond the outside/inside dialectics (the museum and the accepted places of traditional culture) and the romantic escape they have too often been reduced to. No traditional category can account for such peculiar experiences as Monuments of Passaic New Jersey (a photographic reportage of a «walk» around some almost deserted industrial suburbs, their ruins forming derisive monuments) or Spiral Jetty (an artificial site, a film, a photograph and an anti-monument that has now disappeared under the waters of the Great Salt Lake) which become works of art only in the experience of the individual consciousness, in what might be considered a double emancipation, of the work of art and of the spectator.

On a different plane, to avert the excessive dispersion of works of art and the often unsatisfactory presentations in public institutions and collections, usually randomly assembled and very far from constituting a meaningful whole (selective assemblage and adequate installation of several important works by one artist), some artists and private collections have created foundations with the objective of presenting permanent monographical installations (Don Judd, Walter de Maria, Chamberlain, permanently exhibited by the Dia Art Foundation in New York and Texas) assuring an optimal presentation of the artist's work. These recent developments of permanent installation – partially anticipated by the Rothko chapel in Houston – confirm the general trend towards private management of important collections of contemporary art.

In brief, we might consider installation a heterogeneous combination of different, and sometimes contradictory, practices and answer to the complex status of art and artists in contemporary societies; all of which should nevertheless assure the artist's mastery over the nature and the consistency of his statements in often complex situations.

Barbara Bloom
Eberhard Bosslet
Klaus vom Bruch
Giorgio Cattani
Philippe Cazal
Carlo Guaita
Kristin Jones
e Andrew Ginzel
Luigi Stoisa
Nahum Tevet
Erwin Wurm

Barbara Bloom

Lussuria

In una stanza del museo Bröhan di Berlino, c'è un angolo che esercita, quasi a dispetto di se stesso, una specie di seduzione. Gli oggetti che contiene sono stati distribuiti con quella certa impacciata eleganza che è comune a molti piccoli musei. Il mobilio (in questo caso una dormeuse Art Deco), gli oggetti (un grande vaso di ceramica su un piedistallo), l'arte (dipinti di donne in svariati stadi di denudamento) sono stati usati per creare un'atmosfera che oscilla incerta fra intimità e inattaccabile autorevolezza.
Guardando la fotografia di questa stanza scattata da Barbara Bloom, appare immediatamente chiaro che non si tratta di una casa privata, perché l'ambiente è di gran lunga troppo scomodo, e nemmeno di una mostra di arti decorative, perché è di gran lunga troppo goffo. È inevitabile domandarsi in che modo questi oggetti possano apparire collegati fra loro e quale funzione si intendesse attribuire alla loro disposizione. Le due questioni sono ben distinte, poiché la prima rimanda alla persona che entrerà nella stanza e al modo in cui questa reagirà, la seconda alla persona che ha messo quella stanza nelle condizioni in cui l'abbiamo trovata. Né l'una né l'altra, beninteso, sono visibili nella fotografia: entrambe sono rivelate solamente dagli oggetti e dalla natura della loro associazione. Senza una risposta a queste domande, non ci resta che costruire noi stessi possibili relazioni e significati. Le donne più o meno nude che sovrastano la dormeuse prospettano un facile e ovvio percorso; la cronologia ne fornisce un altro, poiché il tutto risale chiaramente al periodo fra le due guerre. Viene anche in mente quel detto elusivo, risalente allo stesso periodo,

secondo cui «un buon bicchiere prima e una sigaretta dopo, sono le tre cose migliori della vita.» La cosa più interessante di questa frase è il fatto che l'elemento centrale rimane inespresso: esiste solo nella tacita ellisse che si insinua fra gli oggetti menzionati.
Nell'installazione della Bloom *I sette peccati capitali*, questa fotografia è appesa, in una cornice non molto diversa da quelle della stanza che ritrae, ad un discreto muro grigio-verde sopra una grande e comoda poltrona. Sul confortevole bracciolo di pelle è posata una scatola di velluto aperta contenente una fede nuziale d'oro la cui superficie interna reca impressa la parola «LUSSURIA». Questa compilazione di mobilio, oggetti ed arte potrebbe apparire casuale (uno schizzo di vita reale appena un po' troppo perfetto) se non fosse innalzata su un discreto piedistallo nero, e illuminata a spot come un diorama antropologico o una vetrina di Tiffany.
L'installazione fa parte di una serie di sette opere: Lussuria, Avarizia, Ira, Gola, Accidia, Superbia, Invidia. In ognuna di esse, un'immagine, una sedia o poltrona e un piccolo oggetto che reca impresso il nome di un peccato sono riuniti per rappresentare discutibili forme di desiderio. Come nella Lussuria, gli elementi sono familiari, eppure artificiosi. Essi si presentano apertamente come tracce o indizi, non meno che come oggetti di contemplazione estetica. Si è tentati di guardare a queste opere come a del materiale scenico, preparato per un'azione che sta per cominciare, o che è appena finita, oppure, più verosimilmente, che è talmente implicita nella scena stessa da non aver bisogno di cominciare.
Per molti anni, e con una gamma di strumenti che va dal film al poster,

Bloom si è specializzata nel creare cose e situazioni che mettono sommessamente in discussione il nesso fra ciò che vediamo e ciò che crediamo. La morale (le credenze che determinano cosa è consentito e cosa non lo è) è per lei un argomento naturale, e i Sette Peccati Capitali sono la morale resa manifesta, oggettivata.
Essi sono diventati diffuso oggetto di rappresentazione fin da quando furono originariamente definiti. Tradizionalmente, prendevano l'aspetto di una persona nell'atto di commettere un'azione peccaminosa: prostitute, ghiottoni, avari e così via. Ma il peccato è altra cosa che il peccatore e teoricamente rappresentare il peccato in sé potrebbe essere ben diverso dal rappresentare persone malvage che fanno cose poco lodevoli. Il problema risiede nel fatto che il peccato in sé (il desiderio di un oggetto considerato inappropriato) non è visibile. È vero che può essere visibile l'oggetto del desiderio, ma la qualificazione di un oggetto come appropriato o inappropriato è spesso una questione di circostanze, o, se si vuole, di contesto. Così per esempio, non è peccato desiderare il proprio marito, ma lo stesso desiderio diventa peccaminoso se è rivolto al marito di un'altra.
Desiderare un buon pasto caldo non è necessariamente peccato: purché non sia il quinto della giornata. Il peccato non è una cosa in sé e nemmeno una semplice relazione fra due cose. È il frutto di un giudizio su una complessa rete di specifiche relazioni. Non è localizzabile. Esiste solo in rapporto a qualcos'altro.
Guardando i Peccati di Bloom, si potrebbe scegliere di considerare il piccolo oggetto come il pezzo e il resto come una sorta di elaborata scenografia. Come esca alla tentazione, sono decisamente ben

riusciti: una boccetta di profumo con la scritta «Ira», un fazzoletto di lino in cui è ricamata la parola «Invidia», un biglietto da visita che recita «Superbia». Sono oggetti architettati apposta per esser irresistibilmente desiderati: le dimensioni fisiche e il richiamo emotivo sono tali da far venire voglia di cacciarseli furtivamente in un taschino. Sarebbe perfido, naturalmente, ma in senso generico. Una perfidia più specializzata traspare nebulosamente dalle relazioni fra elementi: in *Superbia*, una compiaciuta sedia Eames troneggia davanti ad un artificioso ritratto di se stessa in silhouette; in *Gola*, c'è un ridicolo grattacielo di sedie accanto ad un altare.
Molti artisti hanno osservato la capacità che hanno le sedie di sostituire le persone, o, più genericamente, di prendere il posto della «figura». Le sedie hanno una connotazione sessuale, dato che l'elemento più rilevante è un grembo; hanno personalità (nessuno confonderebbe una Chippendale con una sdraio); rappresentano un certo momento e una certa persona.
Come ben vide Van Gogh quando dipinse la stanza di Gauguin, la presenza della sedia segna l'assenza della persona come carenza tangibile.
Questa idea di un soggetto centrale pressoché assente è un carattere ricorrente dell'opera della Bloom. Piuttosto che raffigurare o esprimere, essa esplora delicatamente i modi in cui gli oggetti fungono da sintomi di credenze. Con la loro presenza, con le associazioni che evocano alla mente, con i modi in cui il contesto ove li troviamo ne altera il significato, essi informano il nostro modo di vedere il mondo. Gli oggetti che impiega sono a volte oggetti trovati, spesso acquistati, occasionalmente prodotti su

ordinazione, ma non sono mai troppo lontani da cose in cui potremmo pensare di imbatterci nella vita di ogni giorno, senza il beneficio dell'intervento artistico. Bloom mira alla creazione di opere che, per dirla con le sue stesse parole, «quasi non ci siano».

Nell'arte recente, gli oggetti ci sono stati spesso presentati in modo piuttosto indelicato. Siamo stati incoraggiati a vedere le cose che ci circondano in una luce mono-croma, come merci grigie e senza vita. Gli oggetti in queste opere, al contrario, creano una sorta di risonanza, una vita indipendente, piuttosto che una muta frustrazione. Tendono ad essere belli e, cosa ancor più importante, gradevoli, anziché insignificanti, disprezzati e privi di emozione. «Io amo molto gli oggetti» riconosce Bloom, «ma non amo la cosa in sé, amo ciò a cui allude». Bloom non fa altro che scegliere e organizzare oggetti già esistenti. Lungi dall'essere una radicale presa di posizione sull'impossibilità dell'azione creativa, questo modo di lavorare ha in realtà un precedente storico di antica data: la natura morta allegorica. Per tutto il XVII, XVIII e XIX secolo i pittori di nature morte hanno scelto e organizzato oggetti, tenendo d'occhio non tanto la bellezza, quanto il significato. E il senso del significato era spesso assai più complesso dell'equazione «teschio/memento mori» solitamente attribuita a questo genere. Nei casi migliori, trasmettono quello stesso senso del misteriosamente effimero che troviamo nelle opere della Bloom: l'implicazione di una narrazione detta solo da oggetti silenziosi. Innanzitutto è una combinazione in cui manca la figura. Come evocazione della mortalità e della perdita, è più toccante di un ritratto, perché certe combinazioni di oggetti sono ciò che ci lasciamo

dietro come inconsapevole traccia della nostra esistenza. Chiunque possieda qualcosa che sia appartenuta ad una persona amata che è scomparsa conosce questo effetto: l'attimo pietrificato in cui lo spirito sembra ancora abitare quell'oggetto.

Come il detto sul bicchiere e la sigaretta, come la combinazione di oggetti del museo Bröhan, la parte più significativa di questi pezzi è invisibile, implicita. È una nostra costruzione, e di conseguenza non siamo mai del tutto certi che ci sia. Il soggetto non è rappresentato, è evocato. L'oggetto è dovunque e da nessuna parte, e il significato emerge nella pausa fra le cose.

Susan Tallman

Luxuria

☐ In the Bröhan Museum in Berlin there is a corner of a room that is, almost in spite of itself, captivating. Its contents have been arranged with that awkwardly self-conscious elegance common to certain small museums. Furniture (in this case an Art Deco daybed), objects (a large ceramic vase on a pedestal), and art (paintings of women in varying stages of undress) have been used to create an atmosphere that wafts uncertainly between intimacy and unassailable authority.

Looking at Barbara Bloom's photograph of this room, it is immediately clear that we are viewing neither a private home – it is far too uncomfortable – nor a decorative arts exhibition – it is far too clumsy. One is forced to conjecture how these objects will seem related, and what the intended function of their arrangement might have been. These are two rather different questions, since the first makes presumptions about the person who will enter the room and what that person will make of it; and the second, about the person who put the room into the condition in which we have found it. Neither person is, of course, to be seen in the photograph; both are revealed only by the objects and the nature of their association. Without answers to these questions we are left to construct possible relationships and meaning on our own. The naked women lounging over the daybed provide one easy and obvious route; chronology provides another, as everything clearly dates from between the wars. One is also reminded of the coy statement, dating from the same period, that «a drink before, and a cigarette after, are the three best things in life.» The most interesting thing about this

phrase is that the central element remains unspoken – it exists only in a silent ellipse between the objects described.

In Bloom's installation The Seven Deadly Sins this photograph hangs in a frame not unlike those in the room depicted, on a muted gray-green wall above a large and cozy club chair. On the warm leather arm rests an open velveteen box displaying a gold wedding band whose inner surface is engraved with the word «LUST». This compilation of furniture, objects and art might seem casual – a slightly too perfect vignette from life – but for the fact that it is raised on a discreet black pedestal, and spotlit like an anthropological diorama or a Tiffany window display.

It is one of seven pieces, one for every sin: Lust, Greed, Rage, Gluttony, Sloth, Pride, and Envy. In each a picture, a chair, and a small object emblazoned with the name of a sin are brought together to represent forms of dubious desire. As in Lust, the elements are familiar but contrived. They present themselves blatantly as clues as much as objects of aesthetic contemplation. It is inviting to view these pieces as props – stage sets for an action about to happen, or just completed, or (more likely) so implicit in the prop itself that the action never has to occur at all.

For many years, and in a variety of formats from film to poster design, Bloom has specialized in creating things and situations that quietly question the connection between what we see and what we believe. Morality – the beliefs that determine what is allowed and what is not – is a natural subject for her, and the Seven Deadly Sins are morality made manifest, objectified.

They have proved a popular topic for portrayal since they were first defined. Traditionally, they took the

I sette vizi capitali: l'accidia, 1988
Tecnica mista
Mixed media construction
Fotografia: 43 x 100 cm
Courtesy Jay Gorney Modern Art, New York

I sette vizi capitali: la gola, 1988
Tecnica mista
Mixed media construction
Fotografia: 113 x 51 cm

I sette vizi capitali: invidia, 1988
Tecnica mista
Mixed media construction
Fotografia: 58 x 48 cm

form of a person seen in the midst of a sinful act: harlots, gluttons, misers and so on. But sin is not the same as the sinner, and theoretically picturing sin itself could be a very different activity from picturing bad people doing naughty things. The fly in the ointment is, that sin – the desire for an object deemed to be inappropriate – is not actually visible. And while the object of desire might be visible, the definition of an object as appropriate or inappropriate is often a question of circumstance; the setting, as it were. For example, the physical desire for one's own husband is not a sin, but the same desire for someone else's husband is. Likewise, the wish for a good meal is not necessarily sinful, unless it happens to be the fifth one of the day. Sin is neither a thing in itself, nor even a simple relationship between two things. It is the belief about a complex network of particular relationships. It is unlocatable. It exists only in relation. Viewing Bloom's Sins, one could choose to see the small object as the piece and the rest as an elaborate setting. As product designs for temptation, they are brilliant: a bottle of perfume with «Rage» etched in script, a linen handkerchief embroidered with «Envy,» a calling card embossed «Pride.» These are

things engineered to be coveted, to be of a physical scale and emotional appeal that one would want surreptitiously to drop them into a pocket. This would, of course, be wicked, but generically so. More specialized wickedness appears nebulously in the relations between elements: in Pride a self-satisfied Eames chair stands before an arty, silhouette portrait of itself, in Gluttony seating is stacked ludicrously high beside an altar. Many artists have observed the power of chairs to stand in for a person, or more generally, to substitute «the figure.» They are sexual, having as their major feature a lap; they have personality (no-one would confuse a Chippendale dining chair and a green moiré chaise); they stand in for a certain time and a certain person. As Van Gogh knew when he painted Gaugin's room, the presence of the chair marks the absence of the person as a tangible loss.

This notion of a central subject that is almost absent is a regular feature of Bloom's work. Rather than depict or express she probes delicately the ways in which objects function as indicators of belief. By their presence, by the associations they call to mind, by the ways in which their meaning is altered by the

setting in which we find them, they inform the way we view the world. The objects she uses are sometimes found, often customized, upon occasion manufactured to order, but they are never far off from things that we could imagine stumbling into in the usual course of life, without the benefit of artistic agency. She pursues the creation of work that is, in her own words, «almost not there.» Often in recent art, objects have been offered to us with a metaphorical slap on the wrist. We have been encouraged to see the things that surround us in a monochrome light, as grey and lifeless commodities. In contrast, the objects in these works establish a kind of resonance, an independent life, rather than deadpan frustration. They have a tendency to be beautiful, and more importantly charming, rather than tacky, despised, or drained of affect. «I really love objects,» Bloom acknowledges, «but I don't love the thing itself, I love what it alludes to.» What Bloom does is to choose and arrange things that exist. Far from being a radical statement about the impossibility of creation, this mode of working has, in fact, a lengthy historical precedent: the allegorical still life. Throughout the 17th, 18th, and 19th centuries still life painters

selected and arranged objects, with an eye not so much on beauty as on meaning. And the sense of meaning was often far more complex than the «skull = memento mori» with which the genre is usually credited. At their best they convey the same sense of mysterious ephemerality that Bloom's work does; the implication of a narrative spoken only by silent things. First and foremost, it is an arrangement in which the figure is missing. As an evocation of mortality and loss it is more poignant than the self-conscious portrait, because arrays of objects are what we leave behind as the inadvertent traces of our lives. Everyone who owns something that belonged to someone beloved but now dead knows the effect: a frozen moment when the spirit still seems to linger in the object.

Like the phrase about the drink and cigarette, and like the arrangement of objects in the Bröhan museum, the most significant part of these pieces is invisible, inferred. It is our own construction, and as a result we're never quite sure it's there. The subject is evoked rather than depicted. The object is everywhere and nowhere, and meaning occurs in the pause between things.

Susan Tallman

Arena, 1985
Veduta generale e due particolari
Tecnica mista
Mixed media
Bröhan Museum

I sette vizi capitali: lussuria, 1988
Fotografia: 66 x 86 cm
Courtesy Jay Gorney Modern Art, New York

Ira
Fotografia: 76 x 124

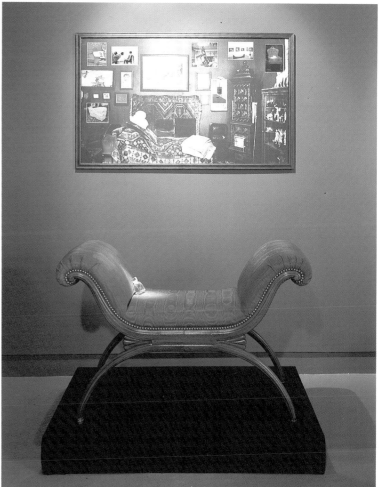

Superbia
Fotografia: 67 x 58 cm

Avarizia
Fotografia: 102 x 71 cm

Tu mi dici, angelo mio, che non ti ho iniziato alla mia vita interiore, ai miei pensieri più segreti. Lo sai cosa c'è di più intimo, di più nascosto, nel mio cuore, che cosa è più autenticamente me stesso? Due o tre modeste idee sull'arte, sempre amorevolmente rimediate; questo è tutto. I più grandi avvenimenti della mia vita sono stati qualche pensiero, qualche libro... Mi ero fatto un'idea ben diversa dell'amore. Pensavo che fosse qualcosa di indipendente da tutto, perfino dalla persona che lo ispira. L'assenza, l'insulto, l'infamia – tutto questo non lo influenza. Quando due persone si amano, possono vivere dieci anni senza vedersi e senza soffrire per questo.

(Frammento di una lettera di Gustave Flaubert a Louise Colet, 1846)

I greci hanno due parole: Pothos è il desiderio dell'essere assente, Himeros è il più bruciante desiderio dell'essere presente. Isolati pure, ma poi, ti prego, lasciami fuori dal tuo dilemma, il dramma in cui mi dai la parte dell'indispensabile «Altro», che ha il ruolo di tirarti continuamente fuori dal tuo prezioso isolamento: io non ho sollecitato questo ruolo.
Tu abusi di me: non nella carne, che in quest'arena ci incontriamo da eguali, ma come una che non dirà *mai* quelle parole che tu vorresti sentire: «Dunque, amore, vieni da me quando vuoi, e nella tua assenza ti amerò allo stesso modo...» Le parole che *io* desidero sono i «...», le pause inesprimibili, gli ineffabili, i silenzi impliciti che alludono a momenti trascorsi insieme. Parla dei nostri corpi, scandalizzami, prendimi in giro, fammi andare su tutte le furie, perché io sono gelosa della tua penna, mia rivale, che ti accompagna nei tuoi momenti più estatici.

(Frammento di una lettera di Barbara Bloom a Gustave Flaubert, 1987)

□ *You tell me, my angel, that I have not initiated you into my inner life, into my most secret thoughts. Do you know what is most intimate, most hidden, in my heart, and what is most authentically myself? Two or three modest ideas about art, lovingly brooded over; that is all. The greatest events of my life have been a few thoughts, a few books... I had formed quite a different idea of love. I thought it was something independent of everything, even of the person who inspired it. Absence, insult, infamy – all that does not affect it. When two persons love, they can go ten years without seeing each other and without suffering from it.*

(Fragment of a letter from Gustave Flaubert to Louise Colet, 1846)

The Greeks have two words: Pothos – desire for the absent being and Himeros – the more burning desire for the present being. Isolate yourself, but then truly – leave me out of your dilemma – the drama in which you have me play the necessary «Other» who is cast in the role of constantly drawing you out of your precious isolation – I did not solicit this part. You abuse me – not in the flesh – in this arena we meet as equals – but as someone who will never *speak those words you long to hear: «So, dearest: come to me when you like – and in your absence I will love you all the more...» – The words I long for are the «...», the unmentionable pauses, the unspeakables – implicit silences which refer to moments spent together. – Speak of our bodies, shock me, tease me, enrage me, for I am jealous of your pen, my rival – who accompanies you in your most rapturous states.*

(Fragment of a letter from Barbara Bloom to Gustave Flaubert, 1987)

Se fossi a Parigi... come ti amerei! Mi ammalerei, morirei, cadrei inebetito, dall'amore per te; diventerei nient'altro che una specie di pianta sensitiva che solo i tuoi baci riporterebbero in vita. Nessuna via di mezzo! La vita! E la vita è proprio questo: amore, amore, estasi del sesso. Oppure, qualcosa che vi assomiglia, ma è la sua negazione: ossia l'Idea, la contemplazione dell'Immutabile, in una parola, la Religione, nel suo senso più ampio. Mi sembra che tu sia troppo carente in questo, amore mio. Mi sembra, voglio dire, che tu non adori immensamente il Genio, che non vibri fin nelle viscere alla contemplazione del bello.

(Frammento di una lettera di Gustave Flaubert a Louise Colet, 1846)

«Se solo potessi essere con te...», io non sopporto più queste parole. Innumerevoli volte, nel leggerle, sono stata indotta a discernerle dal tuo desiderio di essere con me – ho commesso il crimine di leggere le tue parole alla lettera. Il tuo desiderio risiede altrove: tu desideri solo questo stato di ardente desiderio, per se stesso. Tu lo costruisci, lo coltivi, lo sorvegli – sempre badando che non si trasponga in uno stato attivo. Devo ricordarti, mio carissimo, che la tua preziosa sofferenza (o questo tuo autoinflitto isolamento) non è un piacere condiviso dall'oggetto del tuo desiderio, che tu commetti peccato di esaltazione, trasponi questo stato, lo chiami con altri nomi: Immutabilità, Religione, Idea – tu schieri i tuoi soldati, le tue guardie del corpo – «il Genio»...

(Frammento di una lettera di Barbara Bloom a Gustave Flaubert, 1987)

□ *If I were in Paris... how I would love you! I would sicken, die, stupefy myself, from loving you; I would become nothing but a kind of sensitive plant which only your kisses would bring to life. No middle course! Life! And life is precisely that: love, love, sexual ecstasy. Or, something which resembles that but is its negation: namely, the Idea, the contemplation of the Immutable – in a word, Religion, in the broadest sense. I feel that you are too lacking in that, my love. I mean, it seems to me that you do not greatly adore Genius, that you do not tremble to your very entrails at the contemplation of the beautiful.*

(Fragment of a letter from Gustave Flaubert to Louise Colet, 1846)

«*If I could only be with you...*», *I can bear these words no longer. Upon reading them, I have, countless times, been moved to discern from them your desire to be with me – I have committed the crime of literally reading your words. Your desire lies elsewhere – you desire only this state of longing, itself. You construct it, prune it, guard over it – caring that it will never transpose itself into an active state. I must remind you, my dearest, that your precious suffering (of self-inflicted isolation) is not a pleasure shared by your object of desire – that you commit the sin of magnification – you transpose this state, call it by other names: Immutability, Religion, Idea – you bring out your soldiers and bodyguards– «Genius»...*

(Fragment of a letter from Barbara Bloom to Gustave Flaubert, 1987)

C'è qualcosa che amo ancor più del tuo splendido corpo, e cioè te stessa. Sai che cosa ti manca, o piuttosto contro cosa pecchi? Il discernimento. Tu trovi significati nascosti dove non esistono, in luoghi dove nessuno ha mai sognato di nasconderli. Tu esageri ogni cosa, ingigantisci, spingi le cose troppo lontano. Che cosa dirti? Che cosa fare? Non lo so. Ci vuole coraggio a scriverti, sapendo che qualsiasi cosa dica ti ferisce. Le carezze dei gatti alle loro femmine le fanno sanguinare, e scambiarsi percosse fa parte del loro piacere. Perché continuano a farlo? La natura li muove: io devo essere come loro.

(Frammento di una lettera di Gustave Flaubert a Louise Colet, 1846)

Proprio questa attenzione ai dettagli, questi significati nascosti e il nostro decifrarli minuziosamente, sono stati il nostro piacere, il nostro divertimento comune e, tanto spesso, il nostro legame. E per uno che afferma di camminare sul confine fra «il divino e il banale», come è possibile parlare contro lo sguardo microscopico sulla vita? L'ingrandimento (non l'esagerazione) rivela le strutture nascoste sottostanti.
Ci sono atti di coraggio e di avventura che risiedono proprio nelle precise formulazioni del cuore, come nel dialogo con l'altro, una forma di linguaggio diversa dalla formulazione di astrazioni, o dalla raffinatezza dell'imitazione, che offre un'eccitazione forse più piacevole di quel brivido fisico che si prova facendo sanguinare la carne.

(Frammento di una lettera di Barbara Bloom a Gustave Flaubert, 1987)

☐ *There is something I love even more than your lovely body, and that is your self. Do you know what you lack, or rather what you sin against? Discernment. You find hidden meanings where they don't exist, in places where no one dreamed of concealing them. You exaggerate everything, you magnify, you carry things much too far. What shall I tell you? What shall I do? I'm at a loss. It takes courage to write to you, knowing that whatever I say wounds you. The caresses that cats give their females draw blood, and an exchange of jabs is part of their pleasure. Why do they keep doing it? Nature impels them: I must be the same as they.*

(Fragment of a letter from Gustave Flaubert to Louise Colet, 1846)

It is just these attentions to detail, these hidden meanings and the careful decyphering of them, that has been our pleasure, our shared sport, and so often, our bond. And for someone who claims to walk the edge between the «divine and the banal» – how is it possible to speak against the microscopic gaze at life? Magnification (not exaggeration) reveals the hidden and underlying structures.
Acts of courage and adventure can be found in the precise formulations of the heart – and in dialogue with the other – a form of speech different than the formulation of abstractions, or the refinement of imitation – and offers an excitement perhaps more pleasurable than the physical thrill of drawing blood.

(Fragment of a letter from Barbara Bloom to Gustave Flaubert, 1987)

Eberhard Bosslet

«Intervento di sostegno a Mercer, 1988» di Eberhard Bosslet

Dal 29 marzo fino al 23 aprile, la galleria Mercer Union a Toronto ha accolto l'installazione di Eberhard Bosslet intitolata, «Intervento di sostegno a Mercer, 1988». L'opera misurava 3,3 m di altezza, 7,3 m di larghezza e 10,4 m di lunghezza. Consisteva in un assemblaggio di centosessantotto puntelli di metallo regolabili e centoquattordici pannelli d'acciaio, ricoperti di legno compensato, in cassaforma modulare Paschal di diverse misure. Questi due materiali vengono adoperati nell'industria edilizia e erano dati in prestito, già usati, da due imprese edili diverse della zona di Toronto che li danno usualmente in affitto a delle imprese edili.
«Intervento di sostegno» è una serie di installazioni che ebbe inizio nella metà degli anni Ottanta. La serie si serviva di aste da sostegno e altri materiali prefabbricati – «il dialetto degli ultimi anni dell'era industriale» (il vernacolo tardo-industriale) è l'espressione che lo scrittore americano Dan Cameron ha coniato per descrivere i prodotti prefabbricati «pronti per l'uso» e i materiali utilizzati da alcuni scultori europei contemporanei come ad es. da John M. Armleder, Guillaume Bijl, IFP, Bertrand Lavier, Ange Leccia, Wolfang Staehle e Bosslet.[1]
I puntelli regolabili vengono usati sia per sostenere degli edifici crollanti, sia per sorreggere piani e travi appena gettati. I pannelli di cassaforma sono degli attrezzi flessibili di moduli intrecciati e componibili che possono essere montati su un cantiere di costruzione, o altrove, in una varietà di forme al fine di creare delle cassaforme per elementi fusi in cemento armato. Bosslet ha montato «Intervento di sostegno a Mercer,

1988» con l'aiuto di una squadra di costruzioni edili e dei progetti preparati dopo due visite allo spazio di esposizione nel 1987.
Ci sono volute circa cento ore per completare il lavoro. L'installazione è stata realizzata senza saldature, viti, chiodi, bulloni, o rivetti.
In una recensione di «Intervento di sostegno a Mercer, 1988» il critico di Toronto John Bentley Mays ha fatto rilevare che Bosslet è un «*homo faber* – il costruttore-creatore di significati che si oppone al produttore di bei ninnoli o «objets d'art».[2]
A un certo livello, l'installazione di Bosslet alla Mercer Union era una struttura estremamente formale. Era una composizione terrestre di elementi di metallo ritrovati secondo la tradizione di Anthony Caro. Comunque, l'opera aveva un senso più complesso, stratificato.
Le cassaforme erano sovrapposte, ammassate in forme minime, precise e geometriche evocando le opere di mattoni ammucchiati di Carl André (come la sua serie del 1966, «Equivalents») e qualche pila di materiale industriale di Joseph Beuys. Infatti, l'uso da parte di Bosslet di materiale «pronto per l'uso» in tutte le sue installazioni-costruzione chiamate «Intervento di sostegno» fa riferimento a Beuys e ai minimalisti della metà degli anni Sessanta e deve loro tanto, anche se Bosslet ha adattato ed esteso la loro retorica.
«Intervento di sostegno a Mercer, 1988» era un'installazione dipendente da un luogo specifico d'esposizione, nel senso che lo incorporava nell'opera stessa. Infatti, l'opera poteva soltanto esistere nello spazio della «Mercer Union». Lo spazio della galleria e le sue pareti, il suo soffitto e pavimento facevano parte integrante dell'opera. I pali di sostegno e le cassaforme avevano

bisogno del pavimento, del soffitto e delle pareti come appoggio senza il quale l'opera sarebbe crollata.
Benché l'opera desse l'impressione di avere una tensione di perfetto equilibrio, un senso di crollo imminente la circondava. I puntelli, disposti nello spazio d'esposizione di Mercer Union, comunicavano al visitatore quest'ambiguità, poiché nell'industria edile vengono normalmente utilizzati per sostenere muri, travi o piani appena installati, o in pericolo di crollo. Alterando le caratteristiche inerenti di soffitti, pavimenti, muri e il volume di uno spazio interno, Bosslet provocava una potenziale distruzione e, nello stesso tempo, una «decostruzione» dello spazio. Sorreggendo il soffitto, Bosslet rendeva il visitatore acutamente consapevole della presenza del soffitto e della possibilità inerente di crollo che rappresentava. Il visitatore dunque era costretto a chiedersi se il soffitto stava davvero per crollare e se era stato sostenuto da quei puntelli per evitare appunto questo sprofondamento. Sotto la pressione e la spinta laterale esercitata dai puntelli orizzontali, anche le pareti erano in pericolo di crollo. E di nuovo il visitatore era costretto a chiedersi se anch'esse stavano per crollare e se per evitare tale disgrazia fossero puntellate.
Sembrava che persino il pavimento stesse sul punto di cedere sotto la pressione verticale dei puntelli.
Oltre alla qualità di «elmetto da cantiere»[3] dell'installazione stessa, l'opera evocava il mitico Atlante che sorreggeva la terra sulle sue spalle o il cieco Sansone dai capelli lunghi, a braccia aperte, fra le due colonne di sostegno del tempio, che stava per buttar giù lo stabile.
I puntelli, come se reggessero il peso dell'intero stabile, rievocano delle colonne o le figure delle

cariatidi. Il fulcro centrale dell'impianto con il suo centro rettangolare forato in mezzo, bordato di un colonnato di aste di sostegno, aveva la forma del tempio greco con il suo perimetro esterno di colonne e il suo santuario interno. Sarebbe veramente un'esagerazione considerare «Intervento di sostegno a Mercer, 1988» come un giardino «tardo-industriale» con un sentiero per il quale il visitatore si accinge per un viaggio attraverso lo spazio, passando dei templi alti come la cima delle colline, e persino attraversando un ponte? Anche le file orizzontale di puntelli potrebbero essere interpretate come increspature su un'acqua simbolica. Come nei giardini disegnati da Alexander Pope, William Kent o da «Capability» Brown, ogni vista di «Intervento di sostegno a Mercer, 1988» offre al visitatore tutta un'altra visione, e silhouette dell'opera.

Peter Day

1. Cameron, Dan, «European Sculpture: Made in USA». (John Gibson Gallery, New York City) 1988.

2. Mays, John Bentley, «Bosslet's hard-hat approach deeply humane» *The Globe and Mail*, April 1, 1988.

3. Quest'immagine dell'«elmetto da cantiere» era sottolineata dal manifesto che Bosslet ha disegnato per la mostra. Rappresentava due uomini con l'elmetto da cantiere in testa (evidentemente erano operai di cantiere) che guardano delle piante. Quest'immagine era stampata nel colore blu, rievocando il colore delle piante d'architetto.

Intervento di sostegno a Mercer Union, 1988
168 puntelli
114 pannelli cassaforme
168 adjustable poleshores
114 formwork panels
Mercer Union, Toronto

Eberhard Bosslet's «Supporting Measures at Mercer, 1988»

☐ *From March 29 to April 23, 1988, Mercer Union in Toronto was the site of Eberhard Bosslet's installation, «Supporting Measures at Mercer, 1988». The piece measured 3.3 m. high by 7.3 m. wide by 10.4 m. long. It consisted of an assemblage of one hundred and sixty-eight adjustable metal poleshores and one hundred and fourteen plywood covered, steel-frame Paschal Modular Formwork panels of various sizes. Both these materials are employed in the construction industry and were loaned in used condition by two different Toronto area companies who customarily lease them to building companies.*
«Supporting Measures» is a series of installations that began in the mid-1980s. The series has used poleshores and other prefabricated materials – «late-industrial vercacular» is the phrase that the American writer Dan Cameron has coined to describe the prefabricated off-the-shelf products and materials employed by a number of contemporary European sculptors including John M. Armleder, Guillaume Bijl, IFP, Bertrand Lavier, Ange Leccia, Wolfang Staehle and Bosslet.[1]
The adjustable poleshores are used either to prop up collapsing buildings or to support newly installed beams or floors. The formwork panels are a flexible kit of interlocking modules that can be assembled on or off a construction site in a variety of shapes to create moulds for poured concrete elements.
Bosslet assembled his work with the help of a construction team and plans he had drawn up after two visits to the space in 1987 – approximately one hundred hours of labour were

required to complete the job. The installation was effected without welds, screws, nails, bolts or rivets. In a review of «Supporting Measures at Mercer, 1988» the Toronto critic John Bentley Mays pointed out that Bosslet is a «homo faber – the builder of meanings, as opposed to the producer of beautiful knick-knacks or objets d'art».[2] On one level Bosslet's installation was an extremely formal piece. It was an earthbound arrangement of found metal elements in the tradition of Anthony Caro; however, there were other layers to the work.
The formworks were stacked in precise, minimal geometric shapes reminiscent of Carl Andre's stacked brick works (such as his 1966 «Equivalents» series) or some of Joseph Beuys's piles of industrial materials. In fact Bosslet's use of off-the-shelf materials in all his «Supporting Measures» installations echo, and owed much to, both Beuys and the Minimalists of the mid 1960s; however, Bosslet has adapted and extended their rhetoric. «Supporting Measures at Mercer, 1988» was a site-specific installation which incorporated its site into the piece. The work could only exist within the Mercer Union space. The gallery space and its walls, ceiling and floor were integral parts of the work. The poleshores and formworks needed the floor, ceiling and walls as support, otherwise the work would have collapsed.
Though the piece seemed to have a perfect balance, tension and a sense of imminent collapse hovered around it. By installing the poleshores in the space, Bosslet caused the visitor to experience this ambiguity. Poleshores are customarily used in the building industry to prop up walls, beams or floors that are newly installed or in danger of collapsing. By tampering with the inherent characteristics of

ceilings, floors, walls and the volume of an interior space, Bosslet was initiating both a potential destruction and a deconstruction of the space. By supporting the ceiling Bosslet made the visitor acutely aware of the presence of the ceiling and the possibility of collapse inherent in it. As a result the visitor was forced to wonder whether the ceiling was in fact in danger of collapsing and if to prevent this from happening it had been shored up by the poles. Under the sideways pressure and thrust of the horizontal poleshores the walls too seemed in danger of collapsing. Were they too about to fall over and to prevent this from happening were being supported? Even the floor seemed at risk of caving in under the downward thrust of the poleshores.
In addition to the «hard-hat»[3] quality of the installation, thoughts were invoked of Atlas, who supported the world on his back, or the blind, long-haired Samson, his arms outstretched between the two structural support columns of the Temple, about to push down the building.
The loadbearing poleshores are reminiscent of columns or caryatid figures. The central hub of the installation with its the rectangular hollow centre, bordered by a colonnade of poleshores, had the basic form of a Greek temple, with its outer perimeter of columns and inner sanctum. Is it too farfetched to see this installation as a «late-industrial» garden with a path that takes the visitor on a journey through the space, past hill-top temples and even across a bridge? Even the horizontal rows of poleshores could be interpreted as the ripples on symbolic water. As in gardens designed by Alexander Pope, William Kent or 'Capability' Brown, each view of the piece

offered the visitor a quite different vision and silhouette.

Peter Day

1. Cameron, Dan «European Sculpture: Made in Usa». (John Gibson Gallery, New York City) 1988.

2. Mays, John Bentley «Bosslet's hard-hat approach deeply humane» The Globe and Mail, April 1, 1988.

3. ibid. This «hard-hat» image was reinforced by the poster that Bosslet designed for the show. It depicted two men in hard-hats (evidently they were construction workers) looking over building plans. This image was printed in a blue reminiscent of the colour of architects' plans.

Sadizwang, 1988

Stammheim, 1986
130 puntelli
21 pannelli cassaforme
31 mattoni
130 adjustable poleshores
21 formwork panels
31 bricks
Wilhelm-Lehmbruck-Museum

Nixdorf, 1988
4 cassette per schede, legno, tiranti in acciaio
4 file cabinet drawers, wood and steel straps
122 x 88 x 42 cm
Courtesy John Gibson Gallery, New York City

Unterstützende Massnahme, 1985
22 pannelli cassaforme
9 puntelli
22 formwork panels
9 adjustable poleshores
Halberggebäude, Mannheim

Unterstützende Massnahme, 1985
7 cunei
1 blocco di cemento
1 bidone
4 puntelli di 3,5 m
7 brake wedges
1 cement block
1 oil can
4 adjustable poleshores, 3.5 m high
Halberggebäude, Mannheim

Klaus vom Bruch

Analysus situs: ad nota sull'ampliamento dello spazio

Cedere alla tentazione di vedere in una trave di ferro, che pende dal soffitto, un'enorme gruccia superdimensionale sarebbe perlomeno allettante; più la ridda è variopinta, più sembra che la prospettiva sia tutto. L'ipotesi che si possa trattare di una mezzaluna al di fuori del piano inclinato, le cui punte a forma di falce sono sospese a tesa in giù nello spazio, non è meno fantastica. La realtà che ne deriva è ovviamente diversa. L'«avers», se ci è possibile decifrarlo nella ricerca di un significato più profondo, è un'altra faccenda. Al di là di un primo sguardo ci rendiamo conto che ciò che percepiamo è un paraboloide in costante movimento rotatorio intorno al proprio asse. Uno sguardo sfuggevole, e il codice svela il suo segreto, un palindromo. Radio Aircraft Detecting And Ranging. Scrivete l'abbreviazione, leggetela sillabandola in avanti e indietro. Qualsiasi gazzetta, per quanto scarsamente informata, intuisce il gioco di sillabe. Se si considerano le impressioni, le si potrebbero associare al volo di un uccello. Sebbene inorganico – poiché mosso da un motore montato al disopra di una croce sagomata con una potenza d'uscita di venti watt – lo si percepisce ugualmente, quel battito d'ala che simula l'immensità, l'assoluto. Quel veleggiare dell'albatro pellegrino che conquista lo spazio e la cui superficie alare, a partire dal tronco, è quasi paragonabile all'apertura d'ala del paraboloide. Una convinzione forse impressionante, ma appunto solo un'immagine. L'antenna direzionale che ruota in senso antiorario supera di gran lunga quest'immagine. Il termine esatto è radar primario. Onde elettromagnetiche utilizzate per la localizzazione di oggetti più o meno mobili. Emissione primaria, radiazione secondaria. Moving Targets. Il principio è piuttosto semplice. Onde di una certa lunghezza, tagliuzzate attraverso il generatore in impulsi di una durata che va da millesimi a milionesimi di secondo. Emessi nello spazio, vengono ripetuti alcune migliaia di volte al secondo. Si parla di frequenza di ripetizione. La presa di mira dell'oggetto sul tubo catodico, rallentata per una frazione di millesimo di secondo, non viene più intralciata. Un viavai di suoni, un continuo echeggiare, ma l'apparenza inganna. Ciò che è noto, proprio perché noto, non viene riconosciuto. Quei monitor, distribuiti nella sala in maniera concentrica, e incorporati nelle profondità di tre supporti a forma di cubo, che simulano un movimento meccanico ascendente e che ciò nonostante restano statici, parlano un'altra lingua. Per il repertorio del déjà-vu si sente l'assenza del significativo raggio radar scrivente. Nessun raggio elettronico che esplori il panorama alla ricerca di un oggetto sospetto e che descriva sullo schermo circolare sempre le stesse traiettorie. Invece di ciò, espressionistici reticoli di colore che ci rammentano la tomografia computerizzata. Sul display l'indicazione di una scala di profondità non facilmente decifrabile, l'indicazione di temperatura e riferimenti alla velocità nodale. Si potrebbe pensare alla pandemica propagazione dell'assurdo per amore della cosa in sé. Duchamp diceva, science amusante.

Da un punto di vista intermedio, né l'una né l'altra affermazione sono appropriate. Se consideriamo l'aspetto tecnico, il progetto è più che concordante. Per la radiolocalizzazione con l'impiego di onde centimetriche occorre una distanza minima di appena dieci metri per una frequenza di 3-30 GHz. Se ci si orienta al raggio di rilevamento che parte dal centro della superficie d'esposizione, deve apparire evidente la necessità di un abbassamento della frequenza per poter raggiungere l'obiettivo. Le onde lunghe (lf) oscillano a 30-300 kHz e si ritrovano così nel campo ultrasonico. Sound Navigation And Ranging. Impulsi emessi da un generatore di oscillazioni, che agisce con magnetostrizione, prendono di mira un oggetto che riflette il suono. La memorizzazione della modulazione di velocità di una vibrazione emessa e poi riflessa, realizza la decodificazione della distanza esistente di volta in volta. In gergo si parlerebbe di input e output. Volendo fare un paragone grafico, il sonar funziona con un sistema d'allarme che reagisce pressappoco come quello del genere dei rinolopoidi. Attraverso le narici, che ricordano un altoparlante a tromba con focalizzazione modificabile, il pipistrello emette oscillazioni sinusoidali ad alta frequenza che permettono un'ingegnosa e strategica localizzazione del nemico. Una specie di pipistrello con una capacità d'oscillazione media di 80-100 kHz, ha più o meno la stessa lunghezza d'onda di un comune ecoscandaglio di 50-200 kHz. Ciò corrisponde, considerando la velocità di propagazione dell'onda ultrasonora nell'aria, ad un raggio di rilevamento che inizia già da una distanza di pochi centimetri e si estende per una distanza di quasi cento metri. Il cerchio si chiude. Sonar al posto di radar. Moving Targets. Si potrebbe pensare di portare vasi a Samo, dal momento che l'accorgimento di rendere ugualmente possibile ciò che è tecnicamente impossibile non tange l'essenziale. La simulazione al centro del verificabile. Duchamp diceva, science amusante. Resta la domanda sulla destinazione del viaggio. Lo scenario serve effettivamente alla localizzazione di oggetti più o meno mobili. Ma se si risolvesse tutto qui non si andrebbe oltre il pretesto artistico. Chiunque entri nella sala sente il piacere di essere localizzato. Ma come l'antenna direzionale ruota incessantemente intorno al proprio asse, così non ci si sposta realmente da quel punto. Se l'occhio si ferma rigido sul monitor, la ricerca dell'obiettivo non ha molto senso. Pur essendo le infiltrazioni del virus fortemente invadenti, l'esame resta senza conseguenze. La realtà possiede una sua verità solo dal punto di vista dell'assurdo. Più è grande la presunta minaccia, più è certa la convinzione che il girandolone si crogioli in essa. Domina l'apparenza intesa come momento estetico. Il luogo è museale, ma impregnato di un'atmosfera di culto. Così dice l'architetto. Acropoli, mormorano gli uni, «freezing» gli altri. Se non vogliamo trascurare la tutela, rendendola un fronzolo, è necessario almeno essere scettici. Il sacro, visto semplicemente come accessorio, sarebbe come un cieco senza stampelle. È inconcepibile, riferendoci all'ampliamento dello spazio, che anche la più piccola sequenza di movimenti non rimanga vittima delle onde emesse. I reticoli di colori in movimento sullo schermo indicano perfezione. Ma si continua a cercare il nemico. Visto sotto la luce, può essere solamente colui che ispeziona la sala. Con la solita banalità si potrebbe dire, fidarsi è bene, controllare è meglio. Se ci si sposta sul piano metaforico, il fenomeno è inteso come esortazione. Passare in rassegna la sala senza incorrere nel pericolo di cadere

Angriff & verteididung, dettaglio
Ferro, alluminio, 2 monitor
Iron, aluminium, 2 monitors
180 x 140 x 60 cm
Courtesy Galerie Daniel Buchholz, Colonia

nell'abitudine. Sia il Graal che il feticcio esigono trasparenza. La pretesa, più diventa comoda, più non può riguardarla. Il linguaggio, come qualsiasi onda generata da impulsi elettrici, funziona con vibrazioni. Le oscillazioni meccaniche percepite come suono dall'orecchio umano di estendono su un campo acustico di 16-20000 Hz. Se si vuole il confronto, si giunge alla conclusione che il modo di recepire occupa un posto di gran lunga inferiore a quello di un campo di frequenza di un'ecoscandaglio. La ricezione, per lo meno sul campo comunicativo, non avviene. Know-how fisico, dunque, come rapportare di un'infiltrazione intesa in senso simbolico? Duchamp diceva, science amusante. Ogni onda possiede una lunghezza adatta al corrispondente sistema di riferimento in cui si muove. Ogni stazione trasmittente trasmette su una frequenza diversa. Da qui la frase retorica di trovarsi sulla stessa lunghezza d'onda. In questo senso – parlate piano per favore.

David Niepel

Analysis Situs. Adnote to the Amplitudization of Space

□ The temptation to identify the metal construction suspended from the ceiling as a mammoth coat hanger has its attraction. Perspective is all, it seems, the more sprightly the speculative dance. No less bizarre is the fantasy that it might be a crescent moon out of the customary diagonal, its horns downward-pointing in space. Reality is other than this – of that there is no question. The obverse, if it has a deeper meaning at all, is a different matter altogether. After the first impression, perception settles on the image of paraboloid rotating constantly about its own axis. A brief glance and the code yields up its secret: a palindrome. Radio Aircraft Detecting And Ranging. Write down the initials, spell them forwards, spell them backwards. Even the most unenlightened tabloid could not fail to get it right. If one focuses purely on the impression, associations with the flight of birds spring to mind. Though inorganic – it's driven by a motor with an output of 20 watts mounted above the intersection – there is still a feeling of beating wings simulating the infinite, the absolute. The space-devouring glide of the wandering albatross, whose wing measurement from tip to torso is virtually identical with the span of the paraboloid. A striking comparison, perhaps, but then again only an image. The directional antenna turning in an anti-clockwise direction is much more than that. Primary radar is the keyword. Electromagnetic waves used to determine the position of variously moving objects. Primary radiation, secondary radiation. Moving targets. The principle is quite simple. Waves of a particular wavelength are cut up via the pulse generator into impulses of a few thousandths or millionths of a second. Radiated into space, they are repeated at a rate of several thousand per second. Pulse recurrence frequency is the word. The registering of the target sighting on the cathode ray tube, with a fraction of a millisecond's delay, can follow unimpeded. As the shout, so the echo. But appearances are deceptive. What is known is not necessarily understood just because it is known. The monitors distributed concentrically around the room, and accommodated in three cube-shabed constructions which simulate a mechanical upward movement while actually remaining static, tell a different story. Something is missing from the déja-vu reportoire: there is no plan position indicator. No electronic beam sweeps across the panorama in search of a suspect target, plotting the same curve over and over again on the circular display panel. Instead, expressionistic colour networks reminiscent of computer tomographies. Indicated on the screen, though not easy to decipher, are depth of field, temperature, and speed in knots. A pandemic spread of gratuitous nonsense, one might be tempted to think. As Duchamp said: science amusante.

Seen from a midway position, neither one nor the other is right. The model works perfectly from a technical point of view. Using superhigh frequency, radar requires of 3-30 GHz. If we calculate the length of the search radius from its source at the centre of the exhibition area, it is clear that the frequency has to be reduced if the target is to be achieved. Long waves oscillate at a frequency of 30-300 kHz, which puts them in the ultrasonic range. Sound Navigation and Ranging. Impulses emitted via a magnetostriction vibration generator home in on a sound-reflecting object. The time it takes for a radio wave to travel from a transmitter to a target and back again is stored and the information used to decode the distance from the target. Input and output in computer jargon. To make a graphic comparison, one could say that sonar operates with a warning system similar to that of the family Rhinolophidae. Through its nostrils, reminiscent of a horn loudspeaker with variable focusing, the bat emits high-frequency sinusoidal oscillations, which enable it to get a strategic bearing on the enemy. The horseshoe bat, with an average oscillatory capacity of 80-100 kHz is more or less on the same wavelength as a standard echo sounder of 50-200 kHz. Taking into consideration the speed at which an ultrasonic wave is transmitted through the air, this corresponds to a range that starts at a few centimetres and extends to a distance of almost a hundred metres. Things have come full circle. Sonar instead of radar. Moving targets. It's like carrying coals to Newcastle, because the brilliant stratagem of making the technically impossible possible ultimately misses the mark. Simulation in the cross-fire of the verifiable. As Duchamp said: science amusante. The question remains: where is all this leading? The set-up really does serve the purpose of establishing the position of objects moving at variable speeds. But if that were all, it could claim no merit beyond that of dexterity. Everyone who enters the room is amenable to being an acquired target. But like the directional antenna rotating endlessly on its own axis, no one actually gets anywhere. If the eye simply remains fixed on the monitors, the target pursuit doesn't achieve very much. Invasive as the stealthy virus might be, spotting it doesn't lead anywhere. Reality only possesses truth from the point of view of the absurd. The greater the apparent danger, the greater the certainty that the casual stroller will be infuriated by it. The semblance is what counts, aesthetically speaking. The place has

Radarraum, 1988
Arsenale di oggetti, sonar
Arsenal of objects, sonar

museum quality. But a cultic presence. So said the architect. Acropolis whisper some – benumbing others complain. Skepsis is needed if conservation is not to degenerate into useless ornament. The Sacred as a mere annex would be like a blind man without crutches. In terms of the amplitudization of space, no movement is so subtle as to avoid falling prey to the waves that are sent out. The colour rasters moving across the monitor screen signify perfection. But there is an enemy to be sought. If we think about it, this can only be the person who happens to be looking around the room. Platitudinously, one could say that trust is fine but making sure is better. On a metaphorical level, on the other hand, the whole thing can be taken as a challenge. To walk around and inspect the room without succumbing to the danger of falling victim to habit. The grail and the fetish both demand transparency. Fastidiousness, at its most relaxed, is not its affair. Language, like every wave produced by an electrical impulse, works with oscillations. The mechanical vibrations which the human ear perceives as sound cover an auditory range of 16-20000 Hz. A receiver system, in other words, whose range, comparably speaking, is far below the frequency range of an echo sounder. Target acquisition, on a communicative level at least, does not take place. So is physics know-how a medium of symbolic infiltration? As Duchamp said: science amusante. Each wave has a length appropriate to the reference system in which it moves. Every transmitter transmits on a different frequency. So much for the rather meaningless phrase about being on the same wavelength. With which in mind – talk softly please.

David Niepel

Coventry, Videoinstallazione, 1987
Acciaio, colori, 2 monitor
Steel, paint, 2 monitors

Radarraum, 1988
Costruzione in studio
Studio construction

Giorgio Cattani

Una contaminazione profondamente radicata nella contemporaneità è sottesa all'opera di Giorgio Cattani. Contaminazioni di linguaggi e di livelli di linguaggio sono caratteristiche epocali, tanto evidenti che rischiano di diventare banali da un lato, onnicomprensive e perciò giustificatorie dall'altro: tutto si spiega con questa idea dell'intreccio e del crogiolo, tutto può funzionare, e questo permette di astenersi addirittura da ogni tentativo ermeneutico, da ogni approccio critico. Il magma, il caos è in fondo una situazione comoda.

Così, chi fa della contaminazione del linguaggio un sistema, può accontentarsi che solo questa idea venga colta dallo sguardo, e che quest'ultimo si lasci trastullare in superficie, pago di un soddisfacimento semplice ed evidente, pauroso invece di ogni profondità interpretativa. Cattani offre questa possibilità, lascia aperte tutte le strade, proprio perché la sua è un'opera a più livelli, e la superficie edonistica è certo uno di questi: perché allora non lasciarsi andare e godere di forme e di materiali tra loro contrastanti, eppure assemblati così magistralmente dall'artista? Perché se la contaminazione plurilinguistica è caratteristica epocale, la condizione prima dell'opera è pur sempre la necessarietà della stessa. Soltanto la verifica dell'esistenza di questa necessità originaria trasforma lo sguardo in confronto, pone in essere il dramma dell'apparizione, della generazione, della nascita. Non ci sono dubbi sull'abilità di Cattani nel catturare lo sguardo mediante artifici scenici: la penombra, l'idea dell'antro, il punto luce del video, unica evidenza tecnologica in un mondo di materiali primari, appena sbozzati, o trovati, come il legno, il ferro grezzo, oppure gli oggetti,

l'anfora, il pianoforte zoppo – la prima in 'Da quel tempo lontano', il secondo in 'Attorno', entrambi del 1987 – concorrono a creare una suggestione evidente, un compiacimento immediato (non-mediato), che derivano da un sapiente missaggio di elementi antinomici, duali. Ma l'opera di Cattani non deve essere vista per la sua eleganza formale (con cui spesso si liquida la recente arte italiana), non ha bisogno dello sguardo cinico e disincantato dello spettatore teatrale che conosce tutte le finzioni del palcoscenico, ma del sentimento e della ragione di chi cerca la catarsi nella rappresentazione del mondo. Perché la contemporaneità di Cattani è nel tentativo di rappresentare il mondo con le sue infinite stratificazioni, senza ironia, con partecipazione e – quasi – ansia di spiegazione: perciò, la possibilità che l'artista dà nella sua opera di letture plurime non deriva dal disinteresse per ogni lettura, per cui ogni interpretazione è ugualmente valida, ma dal desiderio che l'opera contenga tutte le letture. Così, la presenza dei monitor nell'impianto plastico non costituisce l'intelligente artificio per sfuggire all'impasse ormai cronica del video 'd'artista', ma è un elemento drammatico – come tutti gli altri – che accresce la drammaticità dell'arte con la sua freddezza elettronica, con la sua scarsa narratività, sicuramente meno immanente di quella dei materiali silenziosi, nonostante la peculiarità diacronica del mezzo (ed anche questo stravolgimento fa parte della vera contaminazione dei linguaggi): l'immagine dei monitor di Cattani è un'immagine senza storia, e quindi senza tempo, in cui è piuttosto privilegiato un senso spaziale, a contraddire ogni regola d'uso, ogni norma operativa. Spesso si tratta di

un percorso spaziale, senza connotazioni particolari, un interno, un particolare di paesaggio, il perimetro di un luogo, tutti racchiusi nella scatola elettronica, che si trasforma così in una specie di 'finestra' non concettuale ma virtuale, una sorta di icona che prolunga (sempre termini spaziali!) il campo dell'opera.

È l'estensione di una virtualità concreta, se ci si passa la contraddizione, visto che l'elemento tecnologico del video ha ormai surclassato la realtà, sostituendo a tutti gli effetti a questa il simulacro della rappresentazione, facendolo coincidere con la realtà. E tuttavia Cattani costruisce un mondo analogo alla quotidianità, e che della contemporaneità nostra possiede anche i confini: confini visibili magari soltanto attraverso una telecamera comandata a distanza, ma comunque misurabili.

Come una stanza.

Marco Meneguzzo

□ *The idea of contamination, which is deeply rooted in contemporary art, underlies the work of Giorgio Cattani. Contamination of languages and levels of language are typical features of our times; they are so evident that they are becoming banal on the one hand, and all-embracing, thus self-justifying, on the other. There is the general feeling that anything may be expressed by this idea of interwoven threads, of the melting-pot; anything works, and this is a license to abstain from any hermeneutic attempt, from any critical approach as such. Magma and chaos are after all a rather convenient environment to work in. Thus, whoever takes contamination of languages as his working basis may actually be satisfied if this impression is the only one picked up by the eye, and if the eye merely plays over the surface, content with a simple, immediate sensation and afraid of any interpretative depth. Cattani allows this possibility, leaves all doors open, just because his work operates on various levels, of which the hedonistic surface is certainly one. Why not then simply wallow in contrasting forms and materials, so masterfully assembled by the artist? Because if plurilinguistic contamination is a feature of the times, the work is still mainly conditioned by this requirement. Only the realisation of the existence of this primary requirement is able to transform the vision into a comparison, to activate the drama of apparition, generation, birth. There are no doubts as to Cattani's ability to capture the eye through scenic artifices such as half-light, the cave impression, the video light dot. The latter is the only technological reference in a world of primary materials which are rough-hewn or left as found, like wood, raw iron, or objects; the urn, the* rickety piano, the former in «Da quel tempo lontano» («From those far-off times»), the latter in «Attorno» («Around»). All these artifices, the skillful blending of antinomic, dual elements, make for a clear message and an immediate (i.e. unmediated), confident reception of it. But Cattani's work should not be looked at for its formal elegance (the label with which recent Italian art has been dismissed); it does not need the cynical, disenchanted eye of the theatregoer versed in all the tricks of the stage, but rather the feeling and reason of a person in search of catharsis in the representation of the world. Because Cattani's contemporaneity lies in the attempt to represent the world in its infinite layers, without irony, with involvement and indeed almost an anxiousness to explain: thus the possibility of multiple readings that the artist gives us in his work derives not from lack of interest in any particular reading, which would make any interpretation equally valid, but from a real desire for his work to contain all possible readings. So the presence of the monitor in the plastic system is not an intelligent artifice to avoid the chronic stagnation now plaguing «artistic» video, but just another element to increase the dramatic impact of the work with its electronic coldness, its refusal to tell a story (certainly a more pervasive refusal than any silent materials might give). All this despite the particular diachronic nature of the means, another distortion contributing to the true contamination of languages. The image of Cattani's monitor is an image without history, thus timeless; it tends to favour a sense of space, going against all operating instructions. There is often a rather featureless spatial exploration (an interior, a detail of landscape, the perimeter of some place); this is all contained in the electronic box which is thus transformed into a kind of not conceptual but virtual window, a kind of icon which lengthens (note the constant recourse to spatial terms) the range of the work.

It is the extension of concrete virtuality, if one may be allowed the contradiction in terms; the technologicale element of the video has prevailed over reality, substituting it with the simulacrum of representation, artificially making it coincide with that very reality. Cattani constructs a world which resembles our contemporary everyday one, and which possesses its same boundaries; boundaries which are perhaps visible only through a remote-control T.V. camera, but which are nonetheless measurable. Like a room.

Marco Meneguzzo

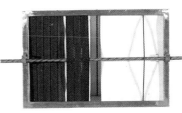

Suono vuoto
Gomma, ferro su tela
Rubber, iron on canvas
100 × 270 cm
Courtesy Galleria Fac-simile, Milano

Là, solo, lontano dal rumore,
Videoinstallazione 1988
Ferro, ceramica, e monitor
Iron, ceramic, and monitor
Produzione C.V.A. Ferrara

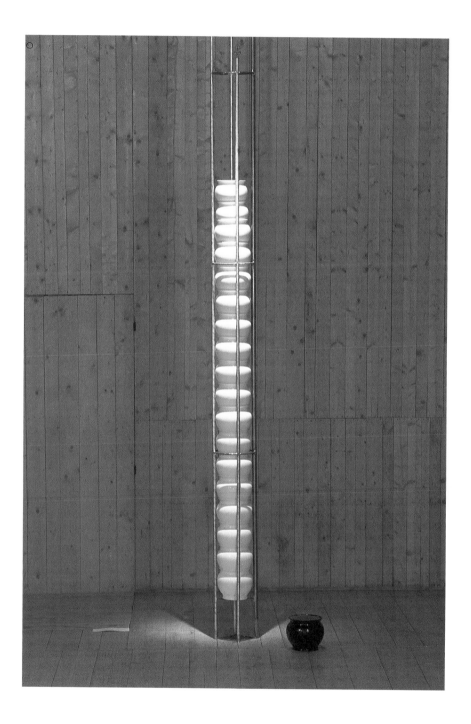

Retta via, Videoinstallazione 1987
Legno, acciaio, ossido e monitor
Wood, steel, oxide and monitor
Produzione C.V.A. Ferrara

Senza ritorno, disegno per il progetto,
1988
Matita su carta
Pencil on paper

Da quel tempo lontano,
Videoinstallazione 1987
Ferro, cotto, rame e monitor
Iron, bricks, copper and monitor
Produzione C.V.A. Ferrara

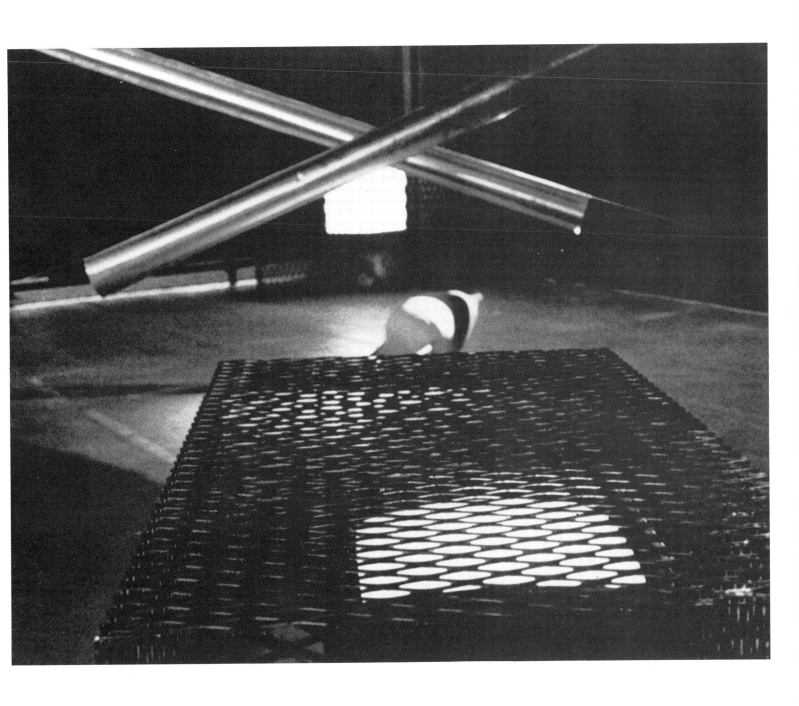

Sulla spiaggia di allora,
Videoinstallazione 1987
Ferro, carta, ossido e monitor
Iron, paper, oxide and monitor
Produzione C.V.A. Ferrara

Stretto — attorno, Videoinstallazione 1988
Carta, ferro e monitor
Paper, iron and monitor

Courtesy Galleria Fac-simile, Milano
Produzione C.V.A. Ferrara

Philippe Cazal

La linea Philippe Cazal

Ci fu una volta a Londra una cifra che non aveva né inizio né fine. 10000000000000 l. Una cifra che sembrava riformarsi in un perpetuo inizio, simbolo di un effetto specchio. Numero smisurato, senza punti per delimitarlo e per permettere di impararlo nella sua globalità. Cifra di grandezza enorme, dipinta su di un muro che serviva da sfondo alle diverse opere messe in gara. Numero divenuto lui stesso oggetto, oggetto creatore di un sovrappiù, perturbante una lettera già piena di un gran numero di segni. Come lo è la società contemporanea, invasa da un flusso di immagini effimere che, sostituite o rinnovate, sfilano senza tregua, e dove l'occhio, in questa abbondanza, non riesce a fissarsi. Diversione, dispersione, di cui parla Walter Benjamin. Nuova cecità, nella quale avanza il mondo in cerca di identità.

Philippe Cazal si impone in questo difficile campo, impadronendosi di tutto l'apparato della comunicazione visiva e scritta. Segni e vocabolario del nuovo mondo in cui particolarmente l'indicazione, la diffusione del lavoro di un artista passano sempre più attraverso la sua mediatizzazione. Gigantesca raccolta con cui Philippe Cazal gioca a profusione già da qualche tempo, ma senza quell'attrattiva che lo farebbe restare in quel campo. Piuttosto, «alla maniera» della pubblicità come sotterfugio per attirare lo sguardo verso questa scrittura che intuitivamente sentiamo appartenerci universalmente, senza sapere perché. Ma, lungi dall'investire nuovamente la scrittura di slogan a effetto choc per vendere un'idea o un oggetto – come ad esempio Barbara Kruger – egli utilizza delle tecniche di regia, come la nozione del «packaging», ad

imitazione di una società che crea un prodotto. Tuttavia egli non lavora nel campo della finzione: prende il reale e lo falsifica per allargarne il significato o capovolgerlo, sia questo nel modo di concepire le opere, o negli elementi rappresentati. Come la famosa coppa di champagne, diventata per Philippe Cazal uno strumento di lavoro, e quasi un emblema ricorrente, generico, come lo sono in un certo modo le bande per Buren. Coppa che ha segnato recentemente l'introduzione decisa del volume nel suo lavoro. Potrebbe essere una coppa per fare un brindisi derisorio o romantico all'arte, poiché da Duchamp in poi si ripete instancabilmente che non c'è più niente da aggiungere? In ogni caso, questa coppa dell'abbondanza, ma anche dell'effimero, mostra tutta la contraddizione del mondo contemporaneo, che avrebbe dovuto mettere l'uomo al riparo dal pericolo e dalle incertezze, ma la cui fragilità è divenuta tale, da far vivere l'uomo nell'urgenza e l'immagine nell'istantaneo. Ultima coppa alla nuova fragilità del mondo: anche a quella dell'arte – e dell'artista che la realizza – oltre che alle sue mode fugaci. Infatti, «l'artiste dans son milieu» («l'artista nel suo ambiente») è un tema generico che Philippe Cazal sviluppa dal 1982, e in cui egli si pone in genere come attore centrale e regista di altri personaggi. Lo champagne è da consumarsi rapidamente, come lo sono le immagini della «Galaxie Gutemberg» secondo McLuhan. Questa bevanda simbolo di festa, di successo, di magia, immagine sociale e culturale di quei luoghi di inaugurazione, di cocktails in cui fa piacere, volendo, non solo essere riconosciuti ma essere presenti. Immagine ironica e polemica, sulla quale egli insiste, di quel rituale che ha assunto un'importanza del tutto particolare in

questi ultimi anni. Indubbiamente anche metafora del prototipo di star dello show-business, che, come accade spesso, vive in un lusso un po' vistoso, ed in modo effimero, dell'artista portato alla ribalta dalla moda – «La magie du succès» («La magia del successo», 1986-1987). Immagine del lusso e della fugacità rappresentate anche, tra le altre cose, dalla carta dorata un po' sgualcita che avvolge il collo delle bottiglie di champagne. Come uno strumento perverso. Non si sa. Ma tutto resta molto «clean», molto contenuto. Nessun eccesso d'ebbrezza, a parte un certo choc cromatico che crea un duplice linguaggio. Così come la polisemia delle parole utilizzate crea ogni volta un'alterazione rispetto all'immagine. Zona d'esitazione. Tutto è deviato con una falsa disinvoltura ed una certa provocazione – «L'idée ridicule» («L'idea ridicola», 1985). Si tratta della messa in scena di un mondo della rappresentazione, di un mondo continuamente in rappresentazione. Schermo gigantesco, vetrina del mondo, in un certo senso anche facciata dell'arte, così come l'ha realizzata l'artista all'ARC di Parigi nel 1987. È «La società dello spettacolo» di Guy Debord senza l'aspetto rivendicativo; una società in cui la nozione dell'individuo è passata in qualche maniera dallo specifico al generale, al fine di corrispondere a una definizione e ad una esistenza sociali. Il mondo avanza sotto le luci della ribalta, e ognuno deve forgiarsi e coltivare la propria immagine di marca. Un'immagine concepita non dalla persona stessa, ma da un'agenzia o da consulenti nel campo delle comunicazioni. Contemporaneamente immagine e marchio, il nome Philippe Cazal è stato così disegnato dall'agenzia «Minium». Un marchio aziendale

come un copyright che insiste sull'effetto dell'ambiguità «Arte o pubblicità?». Da patronimico è diventato anche oggetto, una sigla che Philippe Cazal ha applicato, come una declinazione, a tutta la linea delle sue creazioni. «Philippe Cazal produce Philippe Cazal». Effettivamente, nel suo campo di lavoro l'artista impugna tutto l'armamentario di informazione e diffusione che rivela l'opera e l'artista al pubblico. In fin dei conti sono tutti i luoghi di esposizione che egli investe, come per Information Fiction Publicité (IFO – Informazione Finzione Pubblicità): cartella stampa, inserto pubblicitario, catalogo... e la mostra stessa. È precisamente con questo spirito che, nel 1984, questo artista ha creato la rivista «Public», per tentare di aprire delle parentesi all'interno della situazione artistica e formulare un luogo di presentazione, un luogo di rappresentazione. Le opere di Philippe Cazal parlano del disordine dell'ambiente quotidiano, della variazione dei segni che punteggiano e saturano l'architettura delle città contemporanee. Si interrogano e si rispondono a vicenda con una complicità spogliata di ogni complementarità. Rapporti di complicità, e non di potere, per produrre uno spazio di ebollizione, un'effervescenza.

Jérôme Sans

The Philippe Cazal Line

☐ Once upon a time, at The Barbican Centre, in London, there was a number with neither beginning nor end: 1000000000000001. A number which seemed to re-form in constant renewal, symbolic of a mirror effect. An inordinate number with no points to define it and allow it to be apprehended in its entirety. A number of overwhelming size painted on the wall and serving as a background to the various competing «pieces». From a number it became an object, an object amongst others, in the midst of all the others that were around. But an excessive object, perturbing a reading already confused by so many signs. Invaded by the flood of ephemeral images which, forever replaced or renewed, unceasingly unfold in contemporary society, the eye is overwhelmed by such a plethora of signs and is unable to focus. This is the diversion or the dissipation Walter Benjamin refers to. New blindness into which the world, in search of its identity, is advancing.

Philippe Cazal enters this uncharted territory seizing all the written and visual communication equipment at his disposal, all the signs and vocabulary of this new world where the designation and diffusion of an artist's work undergo mediatization. Philippe Cazal has been making abundant use of this gigantic corpus for some time while avoiding the fascination which would buttonhole him in this domain. He proceeds rather «in the style of» advertising, as a subterfuge, attracting the eye towards writing which we intuitively sense belongs to us in a universal way but without quite knowing why. Yet, far from reinvesting shock slogans that try to sell an idea or a product – like Barbara Kruger for example – he uses production techniques and the notion of packaging in the same way that a company creates a product. He takes the real world and falsifies it to enlarge on meanings or turn them around, whether it be in the way he conceives his pieces or in the elements he chooses to represent. Hence this famous champagne glass which has become one of his work «tools» and almost a recurrent or generic emblem, like the stripes are in some ways for Buren. Recently, the champagne glass resolutely marked the introduction of volume to his work. Is the champagne glass intended to make a derisory or romantic toast to art because, ever since Duchamp, we never tire of repeating that there is nothing more to be added? In any case, this cup of plenty, yet also of the ephemeral, highlights the contradiction of the contemporary world which should have shielded mankind from danger and uncertainty, but whose fragility has become such that man behaves as if not a second is to be lost, and that the image of the instant is paramount. This is an ultimate cup toasted to the new fragility of our world. To the fragility of art too – and to that of the artist who is the designer – as well as to his fleeting fashions. In fact, «l'artiste dans son milieu» is the generic term Philippe Cazal has been developing since 1982, casting himself in the leading role as well as the director of other character parts. At the Barbican Centre he slips behind the scenes momentarily and is represented only by the «milieu's» accessories, by its «line». The champagne must be rapidly consumed like McLuhan's images in the Gutemberg Galaxy. This beverage is a symbol of parties and success, a magic symbol and a social and cultural image of those openings and cocktails where you have to make an appearance if you want to be recognized and remain so. Through this ironic and polemic image, Philippe Cazal stresses the ritual which has become particularly important over the last few years. It also symbolizes how the artist, brought into the limelight by fashion, often becomes, if only for a moment, an archetype of the show-business star living in rather ostentatious luxury – «La magie du succès» (1986-1987). The gold paper wrapped around the necks of champagne bottles is one of the many images of luxury and fleetingness. A perverse «tool», perhaps, though streamlined and very restrained with no hint of intemperance except for a somewhat chromatic shock which creates a double language. In the same way, the polysemy of the words used always leads to a gap with the image, a moment of hesitation. Almost casually, and with a certain provocation he appropriates everything – «L'Idée ridicule» (1985). Witness his exhibition at ARC in 1987 where he staged the world of show, a gigantic film screen, a showcase, a kind of art façade. It is like in Guy Debord's «La société du spectacle» without the claiming aspect, a society where the concept of the individual slips into more general rather than specific terms in order to reflect a social definition and reality. The whole world is marching upstage and everybody has to mould himself and cultivate his own image, one that has been conceived by an advertising agency or communication advisor rather than by the individual himself. Both an image and a brand, the name of Philippe Cazal was designed as a logo by the Minium agency. A company logo functioning as a copyright and playing perhaps on the ambiguity of «Art or advertising?». The name has become an object, a brand name that Philippe Cazal has applied and repeated throughout his whole «line» of creations. «Philippe Cazal produces Philippe Cazal». The artist incorporates into his creations all the information and distribution equipment used to reveal the artist and his work to the public. In fact, like for Information Fiction Publicité (IFP), he is present in all the exhibition spaces: press books, advertising inserts, catalogues,... and the exhibition itself. That is why the artist created the magazine Public in 1984, in an attempt to take time to reflect upon the prevailing ideas of today's artistic scene and to determine an area for presentation as well as for representation. Philippe Cazal's works deal with disorder in everyday environment, with the discrepancy between the signs tha punctuate and saturate the architecture of contemporary towns. In these works, questions are asked and answers are given with a complicity which is yet devoid of any complementarity. Not in a power of struggle but with a connivance in order to produce a space of bubbling, an effervescence.

Jérôme Sans

Fin, 1988
Lamiere smaltate
Enamelled sheet metal
80 x 80 cm ciascuna

Lui-même, 1988
Plexiglas, neon
Plexiglas, neon
Courtesy John Hansard Gallery,
Southampton

La magie du succès, 1986
Cibachrome
Cibachromes
80 x 100 cm ciascuna
Collezione Daniel Bosser / Michel
Tournereau, Parigi

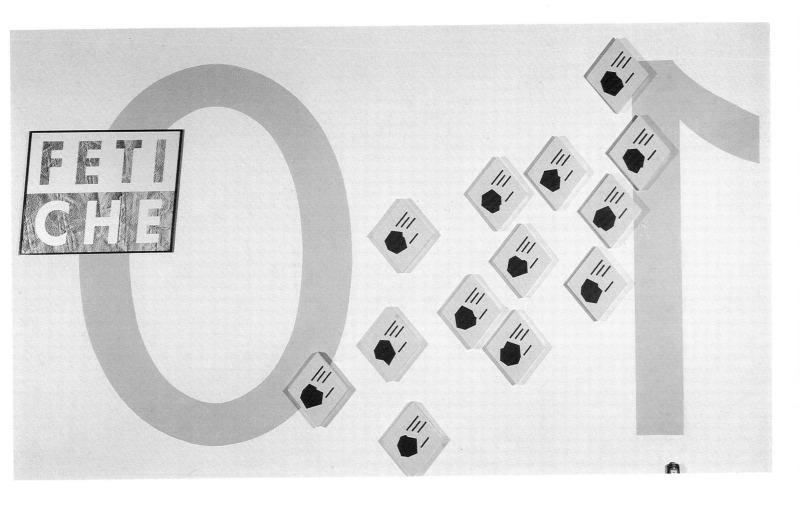

Carlo Guaita

L'opera cerca un equilibrio tra due condizioni: uno stato conoscitivo arricchito, quindi consapevole, e un fraseggio sensitivo non consapevole. L'insieme di idee non viene forzatamente dichiarato ma scaturisce, se questo avviene, tramite il vaglio dell'intuizione formale: l'opera quindi non dispiega apertamente ma solo attraverso quella forza indicibile che trascende la teorizzazione a priori.

Essa diviene punto d'incontro tra essere e fare: l'essere come problematicità nei confronti del mondo esterno e il fare come continua contraddizione tra la necessità di una conclusione e l'impossibilità che questa realmente avvenga.

L'opera è allora un istante infinito di equilibrio tra prigionia e libertà. La prigionia come costrizione di un infinito cioè l'essere, nel finito cioè l'opera, che è essa affermazione di libertà.

Carlo Guaita

Certe esperienze epistemologiche cercano di sfuggire all'impostazione di pensiero così assoluta e così univoca della scienza classica. Inserendola in un metodo di apertura, consci della sua non assolutezza; cioè relativizzandola, possiamo adoperarla. Si potrebbe dire che, più la scienza ci porta fatti ed informazioni, più si accrescono i nostri dubbi. Nel mio lavoro c'è una certa analogia con questo processo: adopero elementi che sono assoluti, molto definiti, ma poi li relativizzo. Non sento di far parte dell'arte seriale, di costruire una struttura fatta di elementi che sono moduli identici ripetuti, anche se nel lavoro precedente c'era un certo riferimento al minimalismo. Forse in quel lavoro questi elementi identici si

dichiaravano e non diventavano elementi di una costruzione, e forse c'era meno spazio per l'imprevisto e l'elemento era sempre molto autoreferenziale. Però ho sempre evitato una serialità matematica. Ho sempre letto il minimalismo come un momento storico di grande fiducia in quello che era la possibilità del progresso. Ma nel mio lavoro si instaura anche il dubbio come parte della costruzione.

Il mio lavoro è sempre stato costruttivista, molto secco, molto laconico. In questi lavori nuovi ci sono elementi che sono più liberi, ad esempio il colore. Parlo di prigionia e libertà, parlo sempre di questo equilibrio fra il progetto e qualcosa che è più casuale, oppure, fra un elemento che è più strutturale, come la griglia, e un elemento più epidermico, il colore.

La prima griglia che ho fatto è nata anche dall'osservazione della stratificazione geologica. Poi, questo elemento è diventato parola e, come tale, ha cominciato ad assumere tutte le possibilità. Questa prima griglia era un disegno sulla parete: un disegno che si materializzava al minimo indispensabile. Dopo, è diventata orizzontale, si è anche sovrapposta come stratificazione geologica che in un certo senso rappresenta il lento evolversi della storia, della conoscenza, del sapere; oggi si deve essere consapevoli di questo sedimentare molto lento. La cosa che più mi colpì studiando la geologia è come ti insegna a superare i tuoi sensi perché il tuo senso ti fa dire: «questa montagna è grande e questa montagna è ferma, è immobile», oppure ti fa dire: «è passato molto tempo – dieci anni»; consideri tutto in relazione ai tuoi sensi. Quando entri nei tempi e nella logica della geologia, ti rendi conto che quella che consideravi come una montagna, una cosa grande e

ferma non lo è: è piccola e cambia, e così per il tempo. La geologia ti insegna a non essere antropocentrico, a non considerarti il centro dell'universo.

Nulla è poi assoluto. Tutto è sempre in evoluzione, ciò che precedentemente sembrava stabile, si evolve e cambia. Uso anche questo: il mio lavoro non ha mai una compiutezza, può continuare o fermarsi, può allungarsi o accorciarsi. Ci sono dei bordi definiti, utilizzo degli elementi definiti, e quando sono insieme possono perdere questa definizione.

Avevo evitato l'uso del colore perché gli addebitavo un valore di superficialità come qualcosa che è posticcio, che viene aggiunto dopo. Mettere sul ferro qualcosa che è derivata dal ferro, per me non è tradire il materiale; i colori che uso sono ossidi di ferro, fra i colori più antichi che l'uomo ha usato.

C'è differenza fra scultura e installazione, c'è un altro atteggiamento nel mostrare il lavoro. A prescindere dal mostrare, noto che tutti quei rapporti che sono anche rapporti matematici, numerici, tra le dimensioni, sono diversi a seconda degli spazi. È un elemento che diventa molto importante. Ad esempio, nella mia esperienza, ci sono lavori realizzati in studio che vedo in un certo modo, che hanno una certa funzione, una certa resa, li porto in un altro spazio, e hanno una resa completamente diversa. Quindi, una cosa che in studio aveva una certa forza, in galleria magari si trasforma in gracilità. Può anche andar bene, ma vuol dire che lo spazio è estremamente importante. Allora, in genere cerco di stabilire gli elementi in una linea di massima, ma riservandomi di definirli solo nel posto dove sarà fermato il lavoro. Devi portare un po' del tuo essere nella mostra, realizzando il lavoro,

come in studio, che è vivo perché c'è tutto il tuo essere.

Per me il metodo di lavoro non è qualcosa di slegato dall'essere. Il metodo di lavoro diviene quello che sono esattamente: è come quando il sole è allo zenit, sei tutt'uno con la tua ombra.

Come hai accennato, si può dire che io lavori con il senso del misurare con l'intuizione e dell'intuire con la misura. Nei miei progetti c'è spesso una sequenza matematica e nel contempo la forzatura di questa sequenza matematica, un lavorare creando continuamente dei limiti e continuamente scardinandoli.

Carlo Guaita
(da una conversazione con Amnon Barzel, 12.10.88)

☐ The work seeks a balance between two conditions: an enriched cognitive and therefore conscious state, and sensory, unconscious phrasing.

The set of ideals isn't stated out loud; if it is to be expressed it surfaces through the screen of formal intuition. Therefore the work is not explained openly, but through that ineffable force which transcends a priori theorizing. It becomes the meeting point between being and doing: being as defined by the uncertainty with which one confronts the external world, and doing as the constant contradiction between the necessity for a conclusion and the impossibility of it ever really taking place.

The work is therefore an infinite instant of equilibrium between imprisonment and freedom. Imprisonment is constraint of the infinite which is being, in the finite which is the work; and the work, in turn, is itself an affirmation of freedom.

Carlo Guaita

☐ Some epistemological experiences can escape being classified as absolute and univocal thought, such as it is defined by classical science. If we relativize science, open it up and remain conscious of its non-absoluteness, we can use it. It could be said that the more facts and information science brings us, the more our doubts increase. In my work there's a certain analogy with this process: I use elements that are absolute and very defined but then I make them relative.

I don't think I make serial art, or build structures made of elements which are identical repeated modules, even though in the earlier work there were some references to Minimalism. Maybe the identical elements in that work affirmed themselves instead of becoming parts of a construction, and maybe there was less room for the unexpected and the elements were always very self-referential. But I've always avoided mathematical seriation. I've always interpreted Minimalism as a moment in time in which there existed great trust in the possibilities of progress, while in my work doubt is established as part of the construction.

My work has always been constructivist, very dry and very laconic. In these new works there are freer elements, such as color. I deal with imprisonment and freedom; I always deal with this balance between the project and something more casual – or between a more structural element, such as the grill, and more epidermal one, such as color.

The first grill I made was born of my observation of geological stratification. Then this element became my vocabulary, and as such took on many new possibilities. This first grill was a drawing on the wall: a drawing which materialized using only the bare minimum. Later, the grills became horizontal, and were layered like geological stratification, which in a way represents the slow evolution of history and of knowledge. Today we should be more aware of how slow this sedimentation process is. The thing that struck me the most when I studied geology was how it teaches you to exceed the limitations of your senses. Our senses would have us say, «this mountain is big; it's stable and immobile,» or they would have us say, «ten years have passed – that's a long time»; we consider everything with reference to our senses. When we enter into the logic and time framework of geology, we realize that what we considered a mountain isn't large and motionless at all: it's small and it's changing. It's the same with time. Geology teaches you not to be too anthropocentric, and it keeps you from seeing yourself at the center of universe.

So nothing is absolute. Everything is always evolving, and what may have seemed stable before is actually evolving and changing. I use this idea: my work has never been characterized by completeness. It continues or stops, gets longer or gets shorter. There are definite edges, I use determinate elements, but when they're put together they can lose their definition.

Once I didn't use color because I considered it superficial, like something fake, something added afterwards. For me, putting something onto iron that it itself derived from iron doesn't entail a betrayal of the materials; the paints that I use are iron oxides, some of the oldest paints used by mankind. There's a difference between sculpture and installation; they represent different attitudes towards the showing of works. Problems of exhibition space aside, I've noticed that all those relationships – the mathematical, numerical ones between various shapes and sizes – change according to the spaces there are in. It's an element that becomes very important. For instance, I see the works I make in my studio in specific ways, as having certain functions, with a certain effect; if I put them into a different space the effect is completely different. Therefore it can happen that an object which has a certain amount of strength when it's in my studio becomes more delicate when I bring it into a gallery. It can work well this way, but it means that space is extremely important. So I usually try to balance the elements according to guidelines but leave the final decisions for when the work is installed in its proper place. You have to bring a part of your being to the exhibition space as the work is realized, just as your studio space is alive because your being is there. My working methods aren't disconnected from my being. Working methods become what I am: when the sun is at its zenith, you and your shadow become one. It could be said, as you put it, that I work by measuring with my intuition and intuiting with measurements. Often my work contains both mathematical series and the result of stretching these series to their limits. I work by continually creating limits and continually blurring them.

Carlo Guaita
(from a conversation with Amnon Barzel, 12.10.1988)

Senza titolo
Ferro
Iron
260 x 32 x 15 cm
Courtesy Galleria Carini, Firenze

Senza titolo
Ferro
Iron
400 x 120 x 45
Courtesy Galleria Carini, Firenze

Senza titolo
Ferro
Iron
560 x 100 x 35
Courtesy Galleria Carini, Firenze

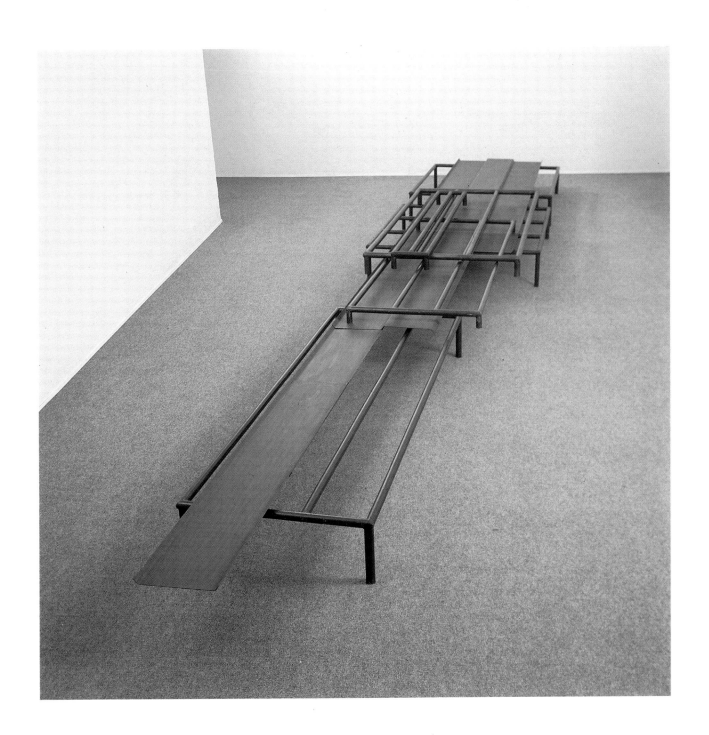

Due, 1988
Ferro
Iron
170 x 75 x 20 cm

Azione, 1988
Ferro
Iron
450 x 60 x 40 cm

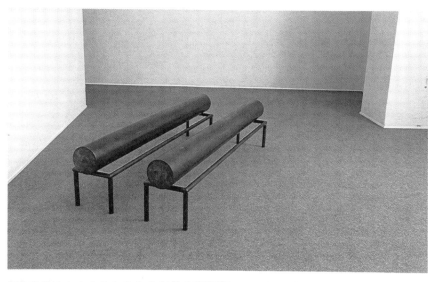

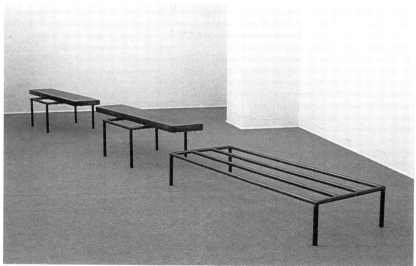

Paradigma, 1988
Ferro
Iron
270 x 400 x 15 cm

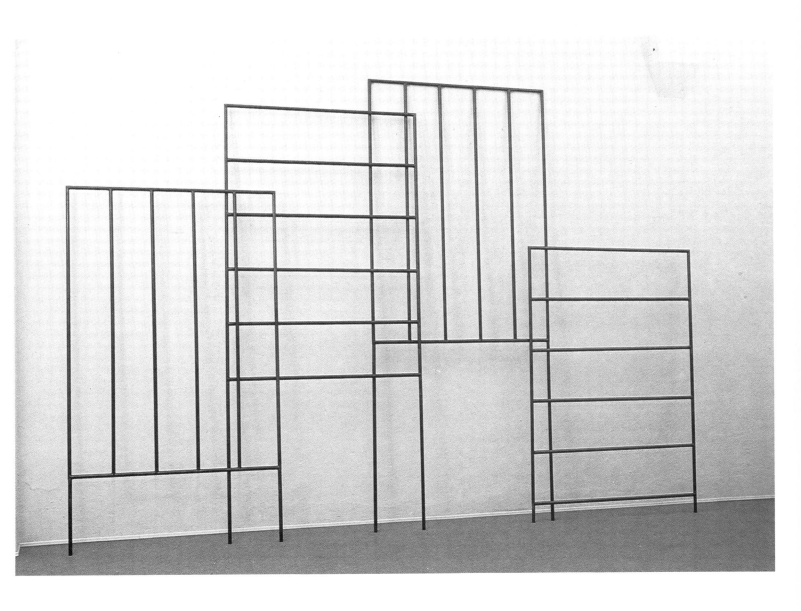

Senza titolo, 1988
Ferro
Iron
120 x 100 x 35 cm
Courtesy Galleria Carini, Firenze

Senza titolo, 1988
Ferro
Iron
180 x 250 x 50 cm

Kristin Jones e Andrew Ginzel

Dichiarazione programmatica

La nostra opera si evolve a partire da una riverenza fondamentale per la natura. Siamo in primo luogo interessati principalmente al fenomeno della vita stessa; al fatto che questo pianeta, che questo universo è in flusso continuo; al fatto che siamo vivi in questo tempo. Cerchiamo di esaltare le proprietà fisiche dell'esistenza nel contesto urbano contemporaneo in cui le forze della natura sembrano estinte. Forze come la gravità, l'equilibrio, il tempo e il movimento appaiono nelle nostre esplorazioni delle proprietà reali e dell'interazione fra materia ed energia.

Il lavoro è elaborato: una moltitudine di metafore, di simboli, s'intrecciano nelle costruzioni. Le opere sono animate, sono caricate, infuse di energia. Lavoriamo con del materiale attuale, con delle fiamme, calamite, ceneri, con dei pigmenti, del piombo e correnti d'aria, con acqua e con oro.

Siamo degli ottimisti: a New York City, in tutte le città moderne del mondo esiste un bisogno disperato di bellezza, manca l'intimità, manca il tempo per la contemplazione. Vogliamo ad ogni costo produrre opere capaci di destare un senso di meraviglia per la natura stessa dell'esistenza.

Il mondo è un luogo estremamente ricco ed elaborato. Speriamo di riflettere questo mondo nella nostra opera. Speriamo di rammentare allo spettatore l'atto del respiro, la brevità vitale della vita stessa.

Ogni opera si sviluppa da una dichiarazione iniziale. Il dialogo che stabilisce il concetto di un'opera è un duetto. Assieme costruiamo un giacimento di immagini e figure. Il risultato non è un'opera che ognuno di noi avrebbe concepito o intrapreso da solo, anzi, è l'opera di una tutt'altra intenzione.

Lavorare in collaborazione è esilarante, stiamo esplorando la potenzialità della sinergia. Ci siamo avviati in questa missione per esporre il dramma proprio di quello che è invisibile per la maggior parte, siamo affascinati dall'al di là, dall'al di sotto, dall'al di dentro, dalle forze invisibili che coesistono, dalle energie nascoste, dagli umori e dai venti che creano la tensione stessa dell'equilibrio. Il fatto dell'equilibrio, come fenomeno, suppone che le contraddizioni si contengano in una giustapposizione dinamica.

Le nostre opere sono reliquiari teatrali per i frammenti di tempo. Siamo motivati e spinti dall'acuta consapevolezza della nostra propria mortalità. La vita umana è il comune denominatore, l'unità basilare di tempo. Noi due non significhiamo altro che l'incremento del divisore della frazione vitale. Siamo affascinati dalla velocità della luce, dal tempo geologico e dall'effimero; una falena che vive soltanto un giorno.

Siamo costretti ad adoperare i materiali e le invenzioni del nostro proprio tempo e anche le nostre materie prime e le purezze. La tecnologia che anima gran parte del nostro lavoro è soltanto un mezzo per giungere ad un fine. Molto spesso la fonte d'energia, di animazione è nascosta, proprio come è nascosto sotto la nostra superficie il segreto del nostro metabolismo. La natura effimera della nostra opera rappresenta di per sé la metafora della nostra propria mortalità mentre *il tempo* è l'infinito, il continuo assoluto.

Kristin Jones e Andrew Ginzel

Statement

□ *Our work evolves from a fundamental reverence for nature. We are primarily interested in the phenomena of life itself; in the fact that this planet, that this universe is in flux; in the fact that we are alive in this time. We seek to magnify the physical properties of existence, within the contemporary urban context, in which the forces of nature are seemingly extinct. Forces such as a gravity, balance, time and motion appear in our explorations of the real properties and interactions of matter and energy. The work is elaborate: a host of metaphors, of symbols, are woven into the constructions. The works are animated, they are energized. We work with actual materials, with flames, magnets, ashes, pigments, lead, and currents of air, with water and with gold.*

We are optimists: in New York City, in modern cities around the world, there is a desperate need for beauty; there is a lack of intimacy, a lack of time for contemplation. We are determined to make work that can awaken a sense of wonder, work that can inspire wonder at the very nature of existence. The world is an extremely rich and elaborate place. We hope to reflect this world in our work. We hope to remind one of the act of breathing, of the vital brevity of life itself.

Each work develops from an initial declaration. The dialogue that establishes the concept of a work is a duet. Together we construct a layering of imagery. The result is not work that either of us would have conceived of or undertaken separately; rather, it is work of another scope altogether. Working collaboratively is exhilarating, we are exploring the potential of synergy. We have set out on this mission to expose the very drama of what is for the most part invisible. We are fascinated by the beyond, the beneath, the within, by the invisible forces that coexist; and by the unseen energies, moods and winds that create the very tension that is equilibrium. The fact of balance, as a phenomena, assumes that opposites are held in dynamic juxtaposition.

Our works are theatrical reliquaries for the fragments of time. We are driven by the acute awareness of our own mortality. Human life is the common denominator, the basic unit of time. We do not consider ourselves to be any more than an increment of measure. We are fascinated by the speed of light, by geological time, and by the ephemera; a moth that lives for only one day.

We are compelled to employ the materials and inventions of our own time, as well as the raw materials and the purities. The techonogy that animates much of our work is simply a means to an end. The source of energy, of animation is most often hidden, just as the secret of our own metabolism is concealed beneath our surface.

The ephemeral nature of our work is itself a metaphor for our own mortality, while time is the infinite, is the absolute continuum.

Kristin Jones and Andrew Ginzel

Nella pagina seguente:
On the following page:
Analemma, 1988
Aria, vetro, piombo, olio minerale, sabbia, acciaio, alluminio, ottone, motori, timer, pigmenti, rame, cloruro di ammoniaca, luce incandescente, oro.
Air, glass, lead, mineral oil, sand, steel, aluminium, brass, motors, timers, pigment, copper, ammonium chlorides incandescent light, gold.
304 x 366 x 183 cm
Collezione permanente, The Wadsworth Atheneum, Hartford, Connecticut
Fotografia: T. Charles Erickson

Analemma

Analemma è un dittico in cui sono affiancati due concetti. È costituito all'interno di un paio di vetrine, ed è accessibile al pubblico ventiquattr'ore al giorno.

Sulla sinistra c'è l'incofutabile brillantezza e luminosità dell'oro. Dei diaframmi arcuati si perdono verso il fondo e fanno da tempio a un'immagine diafana che si dissolve: sopra un cono blu ultramarino, una sfera animata dorata galleggia su di una colonna d'aria in un fascio di viva luce. Mentre l'immagine si dissolve, un alone d'oro circonda il cerchio, il cono blu diventa un nastro di fiamma rosso vivo. Le due immagini si dissolvono l'una nell'altra lentamente ed in continuazione; diventano tangibili mettendosi a fuoco, e poi svaniscono misteriosamente. In primo piano appare la ruota della fortuna che comincia a girare. Le sezioni del disco accumulano energia e si dissolvono in un'unità.

Sul lato destro c'è un'immagine della corrosione. Il proscenio di rame ossidato contiene riferimenti al tempo. Il metronomo si riferisce agli incrementi meccanici, al ritmo. Una clessidra è sistemata e ruotata a dimostrare il passaggio eternamente dissolvente del tempo. Un'onda sinoidale nera è attivata e vibra per un istante. Un frammento di vetro da orologio è misurato. La nicchia contiene la forma illuminata di una perfetta anfora cristallina. Questo recipiente è come una lente, ingrandisce e mette a fuoco la luce. Mentre uno osserva quest'immagine, essa si infrange sotto i suoi occhi e si dissolve in una miriade di frammenti di vetro. Il ciclo si ripete e l'anfora si riforma; torna sempre a rompersi e a riformarsi. La ruota della fortuna entra in scena e, quando l'energia del movimento è dissipata, si arresta. Una spia rossa sottolinea questo preciso momento. L'analemma è un simbolo dell'infinità, si riferisce al continuo del tempo, al ciclo annuale del sole intorno alla terra. Queste due vetrine intendono affiancare il concetto d'infinità, di globalità, di immortalità, a quello di mortalità.

Elementi:

Vetrina Sinistra
Proscenio d'oro in prospettiva
Pendolo
Ruota della fortuna infusa di energia

Immagini che si dissolvono:
Sfera dorata galleggiante
Cono blu ultramarino/colonna d'aria
Alone ruotante
Nastro di fiamma rossa

Vetrina Destra
Proscenio in prospettiva di rame ossidato
Metronomo
Ruota della fortuna che si arresta
Clessidra eternamente in dissoluzione
Onda sinoidale nera
Vetro da orologio misurato

Immagini che si dissolvono:
Anfora cristallina intera
Anfora cristallina frammentata

Analemma

☐ Analemma is a diptych, juxtaposing two concepts. It is built into a pair of exterior windows and is accessible to the public on a twenty-four basis.

On the left is the irrefutable brilliance and luminosity of gold. Arced baffles recede into the depth; they enshrine a diaphanous dissolving image. Above an ultramarine blue cone, an animated gilt sphere floats in a beam of bright light on a column of air. As this image dissolves, a gold halo encircles the ring, the blue cone becomes a lively red ribbon flame. The two images, slowly and continuosly dissolve into each other, they come clearly into focus becoming tangible and then mysteriously vanish. In the foreground the wheel of chance comes into view, and spins into life; the sections of the disc gather momentum and dissolve into a whole.

Juxtaposed on the right is an image of corrosion. The oxidized copper proscenium contains references to time. A metronome refers to mechanical increments, to rhythm. An hourglass is poised and rotated so as to demonstrate the passage of time ever-dissolving. A black sine wave is activated, vibrates for an instant. A watchglass fragment is incremented. The enshrined niche contains the illuminated form of a perfect crystalline amphora. This vessel is like a lens, it magnifies and focuses the light. As one observes this image it fractures before one's eyes and dissolves into a multitude of shattered glass fragments. The cycle repeats itself as the amphora is reassembled, again and again it dissolves and is re-constructed. The wheel of chance enters the scene and as the momentum of rotation dissipates the wheel comes to rest. A red indicator marks the very instant.

The analemma is a sign of infinity, it refers to time continuum, to the annual cyclic passage of the sun in relation to the earth. These two vitrines are intended to juxtapose the concepts of infinity, of wholeness, and of immortality to that of mortality.

Elements:

Left vitrine
Gold perspective proscenium
Pendulum
Energized wheel of chance

Dissolving images:
Floating gilt sphere
Ultramarine blue cone/column of air
Revolving halo
Red ribbon flame

Right Vitrine
Oxidized copper perspective proscenium
Metronome
Wheel of chance coasts to rest
Hourglass ever-dissolving
Black sine wave
Incremented watchglass

Dissolving images:
Whole crystalline amphora
Fragmented crystalline amphora

Adytum

L'ispirazione primaria di quest'opera è la magnificenza dello spazio stesso, le imponenti volte fatte di granito del riverito ponte di Brooklyn. Le volte ispirano timore. *Adytum* è un montaggio di metafore. I vari elementi sospesi drammatizzano lo spazio. La grandiosità e la profondità del volume sono una duplice metafora dell'infinità e del santuario interiore della mente. Gioielli di luce in un blu cobalto intenso adornano questo regno. Una scala rossa impossibilmente esile e stretta, alta quasi venti metri si eleva per tutta l'altezza. Un disco e un diamante galleggiante si eclissano sul soffitto a volta. Un'enorme luna diafana certifica che l'opera si ispira al mondo naturale. *Adytum* è lo scrigno del concetto d'infinità.

Vis-à-Vis

L'esperienza dell'accedere a, ossia entrare in *Vis-à-Vis* è una duplice partenza: sia fisica che metaforica. Ci si trova alla muta presenza di venti, trascinati in un'infinità — scura, rispecchiante — di riflessione e dualità. C'è l'atmosfera, l'arena di un'altra temporalità.
Lo spazio è orizzontale, accentuato dal ritmo equilibrato degli strati a righe alternanti. Uno stagno nero riflettente si stende sull'intera larghezza. Da tutti e due i lati una grande elica ruota silenziosamente a velocità casuale. Le eliche stanno l'una di fronte all'altra ai due lati dello specchio d'acqua, c'è un dialogo evidente fra i venti opposti. Il duello dei ventagli anima gli elementi fra loro.
Ogni materia è sospesa in tensione, in equilibrio. Un sensore a treppiede ruota a seconda della dominanza di fluttuazione della velocità del vento. Le correnti fanno tremare due luci di gioielli sospesi a dei cavi tesi. Un

mezzo disco lucente si riflette nell'acqua. Una metà si rispecchia, due metà fanno tutt'uno. Un giavellotto dalla punta rossa, diritto e liscio è bilanciato delicatamente; taglia attraverso l'orizzontalità. La linea riverberata è un vivace complemento increspato. Due piccole sfere bilanciano e fanno da contrappeso ad un sensore dall'ago rosso. Proprio dal centro del soffitto zebrato, un costante flusso d'acqua precipita formando un'nfinità di cerchi concentrici che continuano a rinfrangersi e spezzarsi e ad animare l'immagine rispecchiata.
L'intera scena è carica dell'energia dei venti trasparenti. Tutti gli elementi sono delle dualità accoppiate. L'immagine animata e rispecchiata è lanciata attraverso lo spazio, dimostrano l'esistenza di un'altra dimensione.
L'opera è il risultato della meraviglia, del meravigliarsi a proposito del mondo, a proposito dell'aldilà: ci sono, come sappiamo, degli influssi, delle forze invisibili che provocano il tempo, l'odio, l'amore, la malattia, il disastro. C'è tensione ed equilibrio e convergenza. Speriamo di simboleggiare, di assaporare, di contemplare la natura del cambiamento, del flusso, del caso: della vita e del continuum temporale.

Triptych

Triptych (trittico) è stato progettato e costruito all'interno di una grande finestra a triplice sezione. L'opera presenta tre regni o settori, come una triade.
Al pian terreno si trovano due immagini contigue contrastanti. Un lato è scuro. Cenere e polvere riempiono l'aria, creando un senso di disordine e caos. Piccole sfere nere descrivono un'orbita irregolare e stramba. La turbolenza viene accentuata dal turbinare dei vortici

illuminati.
Il lato opposto è incandescente di luce bianca. Uno sfondo di montagne di una purissima e finissima polvere bianca inquadra la scena. La geometria di un triangolo è tracciata nell'aria da una linea di misura nera e bianca, mobile e crescente. Questo triangolo emana dalla sorgente di luce sfolgorante. Un cerchio ruota trasformandosi in una sfera. Gli opposti, nero e bianco, sono pesati da un giogo di bilancia.
In alto, un'aura ardente di un blu intenso si stende sopra le sottostanti scene contrastanti per scriverle. Nel bagliore plana un'apparizione, una forma roteante diafana che ruota tracciando una forma intangibile nell'aria. Un arco lentamente sorge e tramonta.

Kristin Jones e Andrew Ginzel

Adytum

☐ The primary inspiration for this work is the magnificence of the space itself, the grand vaulted granite chambers of the revered Brooklyn Bridge. *Adytum* is an assemblage of metaphors. The various suspended elements dramatize the space. The grandeur and the depth of the volume are both a metaphor for infinity and for the inner sanctum of the mind. Deep cobalt blue jewels of light adorn this realm. An impossible slender 65 foot red ladder ascends the height. A

floating disc and diamond eclipse on the vaulted ceiling. A huge diaphanous moon leaves no doubt that the work is inspired by the natural world. *Adytum* is a shrine to the concept of infinity.

Vis-à-Vis

☐ The experience of entering Vis-à-Vis is a departure, both physically and metaphorically. One finds oneself in the mute presence of winds, drawn into a deep dark shining infinity of reflection, of dualities. There is the atmosphere, the arena of other worldliness.
The space is horizontal, accentuated by the balanced rhythm of alternating striped strata. A black reflecting pool spans the entire breadth. At either end a large propeller revolves quietly at random speeds. The propellers face each other across the stretch of water; there is a distinct dialogue of the opposing winds. The dueling fans animate the elements between them. All matter is suspended in tension, in balance. A tripod sensor revolves according to the fluctuating dominance of wind speed. Two jewel lights suspended on taut wires tremble from the currents. A shining half disc reflects. One half is mirrored; two halves make the whole. A straight, sleek red-tipped javelin is delicately poised; it cuts across the horizontality. The reflected line is a lively rippled complement. Two small crystal spheres balance and counter weigh a red needle sensor. From the very center of the zebra ceiling a constant stream of water flows directly down forming an infinity of concentric rings which further fragment and animate the reflected image.
The entire scene is charged with the energy of the transparent winds. All

Adytum, 1986
Acqua, alluminio, acciaio, lattice, motore,
pompa, luce incandescente, rame, oro.
*Water, aluminum, steel, latex, motor,
pump, incandescent light, copper, gold.*
1.650 x 600 x 2.550 cm
Fotografia di una installazione all'East
Anchorage del Brooklyn Bridge. (Art in
The Anchorage, sponsorizzato da Creative
Time Inc., New York City)
Fotografia: Peter Bellamy

*the elements are paired dualities.
The animated reflected image
projects through space,
demonstrating the existence of
another dimension.
The work is the result of wonder, of
wondering, about the world, about
what lies beyond: there are, we
know, unseen influences, invisible
forces that cause weather, hatred,
love, illness, disaster. There is
tension, and balance and
convergence. We are hoping to
symbolize, to savor, to behold, the
nature of change, of flux, of chance:
of life and of time continuum.*

Triptych

☐ Triptych *was designed and built
into a large three-sectioned window.
There are three distinct realms, a
triad.
On street level are two contrasting
images side by side. One side is
dark. Ash and dust are in the air,
there is a sense of disorder or
chaos. Small black spheres orbit
erratically. Turbulence is emphasized
by the illuminated swirling vortices.
The opposite side is glowing white
light. A mountainscape of the purest,
finest, white powders sets the scene.
The geometry of a triangle is traced
in the air by a moving black and
white incremental line of measure.
This triangle emanates from the
brilliant light source. A gold hoop
revolves, transforms into a sphere.
The opposites, black and white, are
weighed by a balance beam.
Up above, a glowing deep blue aura
spans and writes the contrasting
scenes below. Within the glow an
apparition hovers, there is a
diaphanous spinning form which
revolves tracing an intangible shape
in the air. An arc slowly rises and
sets.*

Kristin Jones and Andrew Ginzel

Vis-à-vis, 1986
Vento, acqua, pigmento, pompa, motori,
timer, legno, alluminio, acciaio, luce
alogena di quarzo, acrilico, bronzo, rame,
oro.
Wind, water, pigment, pump, motors,
timers, wood, aluminum, steel, halogen
quartz light, acrylic, bronze, copper, gold.
240 x 900 x 240 cm
Fotografia di una installazione alla galleria
Art Galaxy a New York City
Fotografia: T. Charles Erickson

Triptych, 1986
Aria, carbonato di calcio, cenere
carbonica, acciaio, vetro, alluminio,
pigmento di ottone, motori, timer, nylon,
luce spettrale integrale e luce nera in
fluorescenza, luce incandescente, oro.
*Air, calcium carbonate, coal ash, steel,
glass, aluminium, brass pigment, motors,
timers, nylon, full spectrum and black
florescent light, incandescent light, gold.*
463 x 380 x 173 cm
Fotografia di una installazione al New
Museum of Contemporary Art di New York
City
Fotografia: T. Charles Erickson

Luigi Stoisa

29.4.88

Pittura e scultura sono la medesima tovaglia, piegata in una unica azione. L'uno d'innanzi l'altro, negativo e positivo si specchiano.

21.9.88

Trovare un letto
vuoto di carne.
Ma un'ombra
su un lenzuolo di un vecchio mio letto
che non ti abbandona,
mai.
Sentire sotto il naso
il continuo profumo
di una Viola.

12.11.87

Le parole scivolano, sulle mani calde non cessa il formicolio, il bicchiere è appannato: vuoto.
È stato bello conoscerti.

3.2.87

Se pensate di trovarmi sempre allo stesso punto, dovrò deludervi: credo di non conoscere quel punto, sono qua e là.
Tutti i punti di vista, nell'arte sono giusti, purché realmente appartengano all'arte.

28.7.88

Cosa fare, perché e con chi parlare se non con Voi. Le parole scorrono e volano mentre la pelle prude e si consuma; la tovaglia ci assorbe e noi continuiamo a dire.

Dialogo
Tanti incroci, tutti diversi.
Esistono incroci inutili.
Deliziosi quelli chiari: trasparenti.
Voglio fare due incisioni che si incrociano, senza toccarsi mai.
Una volta ho fatto due dipinti incrociati:
non hanno ancora finito di toccarsi.

18.4.88

Hai mai aperto una tovaglia piegata?
Hai mai apparecchiato un tavolo?
Hai mangiato e bevuto a sazietà!
Hai mai sparecchiato un tavolo?
Ti è mai successo di pensare che tutto questo sia inutile?
Dopo, ti è mai successo di sentirti meglio?
Probabilmente questa è arte.

Luigi Stoisa

29.4.88

Painting and sculpture are the very same tablecloth, folded with one motion. One in front of the other, negative and positive mirror each other.

21.9.88

To find a bed
empty of flesh.
But a shadow
on the sheet of an old bed of mine
which doesn't forsake me,
ever.
To have under my nose
the continuous perfume
of a Violet.

12.11.87

Words slide out, hot hands still tingle, the glass is clouded over: empty. It was nice to know you.

3.2.87

If you think you'll always find me in the same place, I'll have to disappoint you: I think I do not know such a place, I am here and there. All points of view are right in art, as long as they really belong to art.

27.7.88

What to do, why and whom to talk to if not with You. The words flow and fly while the skin itches and wears off; the tablecloth absorbs us and we keep on saying.

Dialogue

Many crossings, all different.
There are useless crossings.
Delightful are the clear ones; transparent.
I want to make two incisions which cross each other,
without ever touching.
Once I made two crossed paintings:
they still haven't finished touching each other.

18.4.88

Have you ever opened a folded table cloth?
Have you ever set a table?
You have eaten and drunk your fill!
Have you ever cleared a table?
Has it ever occured to you that all this
is pointless?
Afterwards, did you ever feel better?
This is probably art.

Luigi Stoisa

Senza titolo, 1988
Carboncino su carta
Charcoal on paper

Parliamone ancora, 1987
Carta vetrata su legno, acciaio inox, carta
vetrata su parete, vetri graffiti
Sandpaper on wood, stainless steel,
sandpaper on the wall, scratched glass

Narciso, Installazione, 1984
Pittura a olio su catrame, bidone
Oil paint on tar, oil drum

Quadrato nero su nero
Pittura a olio su catrame su tela
Oil paint on tar on canvas
225 x 225 cm

Passaggio ad Amsterdam, 1986
Catrame e pittura
Tar and paint
De Appel Foundation, Amsterdam

Senza titolo, 1987
Carta vetrata su banchi scolastici e
catrame
Sandpaper on school desks, tar
Courtesy Galleria Tucci Russo, Torino

Nahum Tevet

Comincio sempre col costruire una serie di elementi modulari – rettangolari – «tavole» – cuboidi di varie misure. Poi li dipingo con vernici individuali, differenziando ciascun elemento dalla propria serie, senza avere a priori uno scopo o un ordine. Dopodiché sono lì, nello studio, assieme ad altri oggetti e parti di mobili, così che li posso «trovare», o meno.

Negli ultimi anni, tutte le mie sculture (a terra o a muro) nascono dalla stessa combinazione di forme e, in seguito, come quando si lancia un sasso nell'acqua, il quadro diventa più complesso man mano che accrescono: allusioni, memorie ed idee si attirano magneticamente, per essere emesse (radiate) all'esterno, come una macchina che ingoia le immagini, risucchia le scene, e mescola la logica e il tempo, ignorando la legge della gravità.

Nahum Tevet

Nahum Tevet: un discorso scultoreo basato sullo scontro di categorie.

Le opere create da Nahum Tevet durante gli ultimi tre anni mettono lo spettatore e lo storico dell'arte di fronte a un problema complesso. Da un lato, queste sculture possono essere chiaramente situate nella estensione di una rispettabile tradizione modernista astratto-costruttivista che si occupa in modo predominante della lettura e della conoscibilità di sculture attraverso la manipolazione delle strutture della loro composizione. Dall'altro lato, la presenza di sedie, tavoli e simili indica un'approccio più referenziale che rispetta il contenuto specifico, autonomo e conoscibile di questi *objets trouvés* e assegna loro un posto nell'entità della scultura, come ad esempio nell'opera «Lezione di Pittura N. 4» (1986). Così Tevet lavora nell'area di tensione tra approcci scultorei che di solito, e per delle ragioni di storia dell'arte, vengono sentiti come opposti.

Le sue opere implicano una critica alla singolare divisione all'interno della tradizione modernista tra direzioni «formaliste» e «semantiche». La composizione della sua opera si avvale meno di tendenze minimaliste – che solevano definire le sue opere precedenti – di quanto la maggior parte degli autori supponga. È più appropriato legare le sue opere alle sculture di Anthony Caro – eseguite ai primi degli anni sessanta – per la loro composizione decentralizzata, che non è più disposta intorno ad un asse centrale e che è caratterizzato da una lettura discontinua, significando che l'informazione ricevuta da colui che osserva l'opera da un dato punto di vista non è più in rapporto, ma è addirittura in contraddizione con l'informazione ottenuta spostando il punto di vista. Benché questa interpretazione possa essere rilevante all'interno di un quadro referenziale puramente formalista, essa viene stravolta quando gli *objets trouvés* sono introdotti nell'opera d'arte: oggetti che rinviano a sedie e tavoli, anzi – per essere più corretti – sono delle sedie e dei tavoli. Poiché questi oggetti si riconoscono subito come tali, essi sottolineano la loro specifica connotazione semantica all'interno della lettura della scultura vista come entità complessiva, cosicché la scultura è doppiamente continua e unifica due categorie divergenti. La scultura di Tevet non è soltanto collegata con l'incompatibilità di due categorie moderniste basilari che riguardano rispettivamente le proprietà epistemologiche di una struttura olistica e le associazioni suggerite da un oggetto particolare, ma si ricollega anche alla corrente che oggigiorno viene chiamata post-modernismo. L'esplicito riferirsi di Tevet a sedie, tavoli e altri mobili rinvia anche ad una recente tendenza della scultura in Renania rappresentata da Schütte, Klingerhöller, Gerdes e tanti altri, e caratterizzata da una più o meno gratuita mescolanza di modelli architettonici in scala e di piccoli mobili. Questo aspetto di gratuità, questa rottura esplicita con la tradizione epistemologica dell'Europa occidentale, che interpreta un oggetto all'interno e in funzione di un quadro referenziale coordinativo, viene svelato e denunciato da Tevet semplicemente come un nuovo stile e non tanto come quella nuova categoria che il post-modernismo pretende di essere.

Integrando questi oggetti – che non vengono usati per ragioni eclettiche e decorative – all'interno di una referenza scultorea che è innanzi tutto collegata con la lettura e la «conoscibilità» della scultura, Tevet confuta le rivendicazioni post-moderniste di una forma completamente nuova di rivelazione. La critica di Tevet, rivolta al discorso tradizionale per quanto riguarda la lettura della scultura modernista e post-modernista, è dominata da un'interruzione della comunicazione nella lettura dell'opera e da ironia strutturale. L'opera di Tevet implica, allo stesso tempo, una critica alla concezione minimalista della scultura definita da Judd come «una forma come forma come forma» sostituendola con «una forma come forma percepita dallo spettatore». Attraverso la loro complessa composizione che non è più leggibile in funzione di asse centrale, e attraverso la ripetizione di certi elementi che tendono piuttosto a negare che non a confermare i principi minimalisti di serialità e ripetitività, queste sculture rappresentano l'esatto contrario dei concetti fondamentali modernisti sulla scultura, come ad esempio, la «struttura significante leggibile» (o composizione) e la «forma autonoma intelligibile». Infatti, queste sculture possono soltanto essere interpretate mentre e finché le si osservano: a causa della loro estrema complessità non possono essere ridotte ad una specifica composizione di base, che può essere resa astratta, in un secondo momento, attraverso una ricostruzione visiva. Questo significa che l'interpretazione non può essere sconnessa dal momento della percezione. L'informazione ottenuta guardando la scultura da un punto di vista specifico non corrisponde e neppure si trova nell'estensione dell'informazione ottenuta da un altro punto di vista, cosicché l'impossibilità di astrazione viene ancora intensificata.

Per di più ogni interpretazione «globale», partendo da una struttura olistica di composizione che può portare alla comprensione intuitiva, è ostacolata da piccole isole semantiche e autonome sotto forma di mobilio, che non hanno una natura astratta ma si presentano come «oggetti letterali». L'ambiguità del medium contribuisce alla «impossibilità di una interpretazione totalitaria» (Michael Newman) della sua opera.

La scultura di Tevet è una negazione della concezione tradizionale della scultura come massa monolitica, solida, chiusa, e si situa più facilmente contro che non all'interno dello spazio circostante. La sua opera è quasi trasparente benché questa trasparenza non venga usata per chiarificare le strutture sottostanti; i materiali sono leggeri e la sua opera è composta attraverso l'accumulazione di diversi elementi piani piuttosto che attraverso la sistemazione di vari elementi all'interno di una struttura centrale o intorno ad un asse centrale, vale a dire uno schema di composizione accumulativo invece di uno schema di composizione relazionale. L'uso del colore complica la lettura e contribuisce all'interpretazione dell'opera come un'accumulazione di elementi divergenti che si uniscono in una connessione sciolta piuttosto che come una massa accuratamente sistemata, le cui proporzioni sono legate fra i loro. Anche i titoli, ad esempio «Lezione di Pittura» o «Natura Morta con Giallo» fanno, più che alla scultura, riferimento alla pittura.

L'analisi precedente indica chiaramente che la scultura di Tevet è prevalentemente coinvolta nella questione epistemologica, cioè: fino a che punto è possibile conoscere una scultura – e, per estensione, un oggetto – e quali parametri si trovano alla base di tale azione cognitiva? Attraverso la conquista della comprensione intuitiva della struttura che diventa più trasparente via via che si basa su una struttura trasparente e su materiali altrettanto trasparenti (il credo costruttivista)? Attraverso l'isolamento dell'oggetto dal contesto della *réalité quotidienne* e il suo inserimento all'interno di un contesto estetico (il principio dell'*objet trouvé*)? È possibile conoscere un oggetto astraendo la percezione e cercando di ridurlo a una «struttura primaria»? È possibile conoscere un oggetto a prima vista, o la lettura rappresenta piuttosto un processo (dis)continuo che si svolge nel tempo (e più precisamente il tempo di percezione mentre lo spettatore cammina intorno alla scultura e al suo interno)?

Tevet non risponde mai sì o no poiché le due risposte sono ugualmente totalitarie: il suo approccio è di natura più critica e impone un atteggiamento relativista optando per la più ampia complessità possibile che tralascia il quadro semantico tradizionale della scultura per confondersi con l'arte della pittura. Dichiara senza alcuna ambiguità che soggetto e oggetto non sono due momenti separati nel processo cognitivo, ma che il lato epistemologico può soltanto avere luogo quando tutti e due, soggetto e oggetto, interagiscono, cioè: la scultura è solo conoscibile quando, finquanto e mentre lo spettatore la sta guardando e permette alla sua complessità di asserirsi nel tempo senza costringerla nella forma prestabilita della *structure trouvée*. Sotto questo aspetto l'arte di Tevet implica una risposta più rilevante perché più differenziata alla questione fondamentale dell'astrazione nel senso lato del termine, una risposta più rilevante di quello che la maggior parte della cosiddetta scultura contemporanea post-modernista ci offre da questo punto di vista.

Jan Foncé

□ *I always begin by building a series of modular elements – rectangles – «tables» – cuboids of various sizes. Then I paint them with individual veneers, differentiating each from its series, without preconceived purpose or priorities. After this, they are there, in the studio, together with other objects and pieces of furniture, so that I can «find» them – or not. All my sculptures (floor or wall) in the past few years have started from the same combination of forms, and then, like when you throw a stone into water, the picture becomes more complex as they grow: allusions, memories and ideas are drawn together magnetically, to be emitted (radiated) outwards, like a machine which swallows images, sucks in scenes, and mixes logic and time, ignoring gravity.*

Nahum Tevet

Nahum Tevet: a Sculptural Discourse Based on the Clash of Categories

The works created by Nahum Tevet over the past three years confront the spectator and the art historian with an extremely complex problem. On the one hand these sculptures can clearly be situated within the extension of a respectable modernist abstract-constructivist tradition that is predominantly concerned with the reading and the «cognizability» of sculptures through the manipulation of the structures of their composition; on the other hand the presence of chairs, tables and the like point to a more referential approach to sculpture, which respects the specific autonomous cognizable contents of these «objets trouvés» and allows them a place within the entity of the sculpture, as is for instance the case in «Painting Lesson n° 4» (1986). That way Tevet operates in the area of tension between sculptural approaches which are usually, and for art historical reasons, experienced as opposites. His works imply a criticism of the curious division within the modernist tradition between «formalist» and «semantic» directions. The composition of his work is less involved with minimal tendencies – which used to define his former works – than most authors assume. It is more appropriate to link his works with the sculptures made by Anthony Caro at the beginning of the Sixties because of their decentralized composition, which is no longer arranged around a central axis and is characterized by a discontinuous reading – meaning that the information received by the observer from one viewpoint is no longer related to, but is even the opposite of the information which is provided by a shift of viewpoint. Although this interpretation may be relevant within a purely formalist frame of reference, it becomes unsettled when «objets trouvés» are introduced in the work of art: objects referring to chairs and tables, or more correctly, objects that are chairs and tables. Since these objects are immediately recognized as such, they enforce their own specific semantic connotations within the reading of the sculpture as a whole, so that the sculpture is continuous in a double way and unites two divergent categories. Tevet's sculpture is not only connected with the irreconcilability of two modernist basic categories which are respectively related to the epistemological properties of a holistic structure and to the associations linked with a particular object, but also with what is nowadays called postmodernism. Tevet's explicit reference to chairs, tables and other furniture, also

Ursa Major, 1984
Olio e vernici industriali su legno con
oggetti
*Oil and industrial paint on wood with
objects*
400 x 400 x 350 cm

Lezione di pittura n. 4, 1986-88
Acrilici e vernici industriali su legno,
alluminio e acciaio galvanizzato
*Acrylics and industrial paint on wood,
aluminium and galvanized steel*

points to a recent tendency of Rhineland sculpture, represented by Schütte, Klingelhöller, Gerdes and many others, and characterized by a more or less gratuitous messing about with architectural scale-models and small furniture. This gratuitous aspect, this explicit rupture with the West European epistemological tradition which interprets an object within and in function of a coordinating frame of reference, is exposed and denounced by Tevet as being only a new style and not so much the new category postmodernism pretends to be. Because of Tevet's integration of these objects – which are not used for eclectic or decorative reasons – within a sculptural reference which is first of all related to the reading and the «cognizability» of sculpture, he takes the edge off the postmodernist claims on a completely new form of revelancy. Communication breakdowns in the reading of a sculpture and structural irony dominate Tevet's criticism on the traditional discourse with regard to the reading of modernist and postmodernist sculpture.

Tevet's work also implies criticism of the minimal conception of sculpture as «a form as a form as a form», as it was defined by Judd, by replacing it by «a form as a form as perceived by the spectator». Through their complex composition, which is no longer readable in function of a central axis, and through the repetition of certain elements which sooner negate than confirm the minimal principles of seriality and repetitiveness, these sculptures are the exact opposites of fundamental modernist sculptural concepts such as the «readable signifying structure» (or composition) and the «autonomous intelligible form». These sculptures can in fact only be interpreted while and as long they

are looked at; because of their extreme intricacy they can not be reduced to a specific basic composition which can be abstracted afterwards through visual reconstructions. This means that the interpretation can not be seen apart from the moment of perception. The information obtained from a specific point of view is not consistent with or does not lie in the extension of the information obtained from a different viewpoint, so that the impossibility of abstraction is still intensified. Furthermore, any «overall» interpretation, starting from a holistic composition structure which can lead to insight, is obstructed by autonomous semantic islets in the form of furniture, which do not have an abstract nature but are indeed «literal objects». The ambiguity of the medium also adds to the «impossibility of a totalitarian interpretation» (Michael Newman) of his work. Tevet's sculpture is a negation of the traditional conception of sculpture as being a closed monolithic solid mass which is sooner situated against than within the surrounding space. His work is practically transparent, although this transparency is not used to clarify the underlying structures of his work; the materials are light and his work is composed by accumulating several planar elements rather than by arranging different elements within a central structure or around a central axis: ergo, an accumulative versus a relational composition scheme. The use of colour complicates the reading and adds to the interpretation of the work as an accumulation of divergent elements which are loosely connected with each other, rather than as a neatly arranged mass whose proportions are related to each other. The titles as well, for instance «Painting Lesson» or «Still Life with Yellow»

refer more to painting than to sculpture.

From the above analysis it is clear that Tevet's sculpture is predominantly concerned with an epistemological issue; i.e., to what extent is it possible to know a sculpture – and by extension an object –, and on the grounds of which parameters does such a cognitive action take place? By obtaining an insight into the structure, which becomes more transparent the more it is based on a trasparent structure and equally transparent materials (the constructivist creed)? By isolating an object from the context of the «réalité quotidienne» and introducing it within an aesthetic context (the priciple of the objet trouvé)? Is it possible to know an object by abstracting the perception and by trying to reduce it to an abstract «primary structure»? Is it possible to know an object at one glance or is the reading a (dis)continuous process which unfolds in time (i.e., the time of perception, while the spectator is walking around and in the sculpture)?

Tevet never replies yes or no, since both answers are totalitarian; his approach has a more critical nature and forces to a relativist attitude by opting for the greatest possible form of comlexity, in which the traditional semantic framework of the sculpture is left aside and merges with the art of painting. He states quite unambiguously that subject and object are not two separate moments in the cognitive process, but that the epistemological act can only take place when both are in interaction; i.e., the sculpture can only be cognizable when and insofar as and while the spectator is looking at it and allows its intricacy to assert itself in time, without forcing it within the preconceived form of a

«structure trouvé». That way Tevet's art implies a more relevant, for a more differentiated answer to the fundamental issue of abstraction in the broadest meaning of the term, than what the larger part of today's so-called post-modernist sculpture has to offer in this respect.

Jan Foncé

Angolo, 1973-74
Acrilici su sedie e legno
Acrylics on chairs and wood
190 x 190 x 70 cm

Allestimento di sei, 1973-74
Legno e compensato dipinto
Wood and painted plywood
190 x 60 x 35 cm

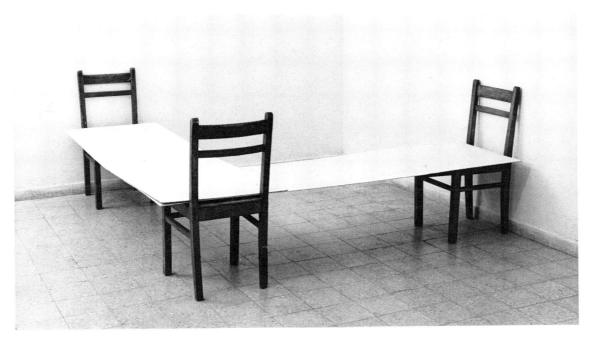

ИO, 1986
Acrilici su legno
Acrylics on wood
117 x 92 x 68 cm

886b, 1986-88
Acrilici e vernici industriali su legno,
alluminio, sedie, dischi e rotelle
*Acrylics and industrial paint on wood,
aluminum, chairs, records and casters.*
338 x 304 x 300 cm

Erwin Wurm

Nel mio lavoro c'è l'idea dell'utilizzo di materiali che sono già stati usati. Vi sono due particolari punti di interesse per me: prima di tutto la plasticità, voglio dire la qualità scultorea, il volume. Scelgo questi elementi, questi contenitori, perché alludono alla massa all'interno del volume, e tuttavia si vede solo il volume, non la massa. Sono vuoti, non c'è nulla dentro, eppure danno l'impressione di essere pieni. Il volume deve essere pieno di massa. Ad esempio un recipiente che contiene dieci litri d'acqua dà l'impressione della massa all'interno del volume; senza la massa interiore sarebbe solo una pelle. In secondo luogo, tutti questi oggetti provengono dalla cucina, dal giardino, dalla vita domestica, non sono aggressivi nella vita di tutti i giorni. Per me, ciò che conta non è la pesantezza aggressiva di un materiale, ma il suo morbido spazio interiore.

Utilizzo oggetti d'uso quotidiano in maniera molto diretta. La relazione deriva in parte dai ricordi della mia infanzia: sono nato in un centro industriale austriaco, dove questi oggetti particolari erano di uso comune. Li impiego perché mi sono familiari sino dalla mia infanzia.

Il motivo per cui faccio uso di questi contenitori di vecchio stampo, piuttosto che di quelli moderni, è che hanno una storia da raccontare. Dopo la seconda guerra mondiale, le fabbriche che producevano materiale bellico hanno iniziato a produrre questi tipi di contenitori. Io cerco di reinserire una parte del ricordo in questi oggetti.

Anche il doppio senso è importante: tutto può essere capovolto, gli elmetti possono diventare oggetti domestici, la società è in grado di mutare repentinamente da una situazione di pace a una di guerra, e viceversa.

Mi interessano questi elementi perché sono pacifici, come un innaffiatoio, ma basta una piccola modifica, una piccola incisione, ed essi diventano molto aggressivi, e forse prefigurano la guerra. Può avvenire a qualsiasi cosa nella nostra società.

Anche se a volte impiego il termine «bunker» nei miei disegni, non mi piace denominare nessun luogo particolare come bunker. Per me è più che altro un problema plastico: abito a Vienna, dove sono rimasti in piedi molti bunker, le «Flaktürme», delle torri da cui abbattevano gli aerei. Queste sono talmente massicce che non possono essere distrutte. A me sembrano scultoree. I contenitori hanno un effetto scultoreo, non di massa ma di volume, la pelle ne protegge il contenuto dall'esterno come un bunker.

A volte ricopro il lavoro con un altro materiale o con il colore. Talvolta applico un colore, ad esempio il grigio, per neutralizzare l'effetto dei pezzi variopinti. Altre volte uso il piombo come una sorta di seconda pelle, per dare all'oggetto un duplice connotato; ad esempio, ricreo la forma di un vaso avvolgendolo nel piombo, cosicché mi ritrovo con due vasi anche se ne è visibile uno solo. Tutto può mutare ed avere un doppio senso, ma noi percepiamo solo un significato alla volta. Non mi sento molto a mio agio nell'usare il piombo a causa delle sue forti connotazioni, come la guerra. Ci sono delle volte in cui usare il piombo mi dispiace: nei nuovi lavori non lo voglio impiegare, quando lo faccio è perché è così malleabile. Il colore e il piombo aggiungono entrambi una materialità – una seconda pelle.

I miei primi lavori, quattro o cinque anni fa, si componevano di due parti, una scultura e un quadro. Se la scultura era una figura umana, allora il quadro aveva un tema completamente diverso. Dipingevo alberi o una cascata, per esempio, e il risultato era di avere una figura su di una figura. Ma il risultato non è congruo a causa delle forme diverse. Potrebbe sembra che per me sia importante la storia dell'oggetto, poiché ne utilizzo principalmente di vecchi, ma non è sempre così. A volte impiego oggetti nuovi, ma di solito non hanno una forma che fa al caso mio. Sono oggetti presi dal quotidiano, però non li mostro in queste vesti. Combinando oggetti quotidiani, e lavorandoci sopra, ne altero il significato: diventano una macchina da presa, una bomba. L'aspetto finale non è così importante: non mi prefiggo di creare una macchina da presa o una bomba, è il loro effetto sull'immaginazione che ritengo importante.

È molto importante per me che i lavori stiano insieme in un'installazione. Voglio che la gente passi in mezzo agli elementi e ci giri attorno, non che li osservi come se fossero su di un palcoscenico. La distanza fa variare il loro significato. Nelle mostre non utilizzo grandi oggetti perché rimangono grandi, mentre gli oggetti piccoli diventano grandi a una distanza ravvicinata. Questo è intenzionale, i due vasi sul muro di fondo, ad esempio, sono piccoli, ma da vicino appaiono grandi, inquietanti e aggressivi. È importante che elementi domestici si carichino di significato. Il tempo lavora sull'oggetto, vi aggiunge uno strato. Il fattore del tempo mi affascina. L'impiego del cemento armato nell'architettura bellica illustra molto bene la relazione fra il tempo e il materiale. A Vienna, per esempio, i bunker e le torri col tempo hanno acquisito una qualità estetica, mentre nel caso di normali edifici in cemento, si verifica l'opposto.

Erwin Wurm
(da una conversazione con Amnon Barzel
17.10.88)

☐ In my work there is the idea of using elements which have already been used. There are two main points of interest for me: the first is the plasticity, and by that I mean the sculptural quality, the volume. I choose these elements, these containers because they allude to the mass within the volume, although you only see the volume. They are hollow, there is nothing inside, but they give the impression of being full. For example, a vessel containing ten liters of water gives the impression of mass within volume; without the mass within it, it would only be a skin.

The second point of interest is the fact that all of these objects are from the kitchen, the garden, domestic life; they are not agressive in life. For me, the important thing isn't the aggressive heaviness of the material, but its soft inner space. I use domestic objects in a very direct way. The relationship between the two comes partly from memories of my childhood; I was born in one of the industrial centers of Austria, where these particular objects were common. I use them because I have been familiar with them since early childhood.

The point of using these outdated containers, rather than modern ones, is that they tell a story. After WWII many factories that made war equipment began producing them. I try to put some of the memory back into the objects. The double-meaning is important: everything can be turned around, war helmets can become household objects, society can quickly change from a peaceful situation to one of war and vice-versa. I am interested in these pieces because they are peaceful (such as the watering can, for example), but with a small change, a simple cut, they become very

aggressive, and maybe tend towards war. It can happen to anything in our society.

Although I sometimes used the word «bunker» in my drawings, I don't like to call any particular space a bunker. For me it's mostly a sculptural problem. I live in Vienna, where there are many leftover bunkers, or «Flaktürme»: towers from which they shot down planes. They are so strong they can't be destroyed. They seem sculptural to me. Containers have a sculptural effect, not of mass but of volume, of skin which protects the contents from the outside like a bunker. Sometimes I cover a work with another material, or with color. Sometimes I apply one color, for istance grey, to neutralize the effect of pieces with different colors. At times I use lead as a kind of double skin, to give the object a double-character; for example, I recreate the shape of a pot by wrapping lead around it, so I end up with two pots but you can only see one. Everything can change and have a double meaning, but we can only see one meaning at a time. I am uneasy using lead because of its strong connotations, like war. Sometimes I am not happy with lead; in the new works I don't like to use it. When I do it's because it's so malleable. Thus color and lead both add materiality – a second skin.

My early works, of four or five years ago, consisted of two parts: a sculpture and a painting. If the sculpture was a figure, the painting would have a completely different theme. The painting would depict a tree or a waterfall, for instance, resulting in a figure on a figure. But it would be incongruous because of the different shapes.

It might seem as if the history of the objects is important to me, because

I mainly use old ones, but it's not always so. Sometimes I use new objects, but usually their shape isn't good for my purposes. The objects are taken from everyday life but I don't show them as such. By combining everyday objects and working on them, I change their meaning; they become a camera, or a bomb. The final look is not so important. I don't set out to make a camera or a bomb. Their effect on the imagination is what's important for me.

For me it's also very important to have the works exhibited together as an installation. I want people to pass in between and around the pieces, not see them on a stage. The amount of distance alters their meaning. I don't use big objects in exhibitions because they remain big, whereas small objects become big up close. This is intentional. The two pots on the back wall, for instance, are small but up close they appear strong, uncanny, and aggressive. It is important that household objects become loaded with meaning. Time works on the object, and adds a layer to it. The factor of time is something that fascinates me. The use of cement in war architecture demonstrates very vividly how time and materials relate. In Vienna, for instance, bunkers and towers have acquired an aesthetic quality over the years, whereas in normal cement buildings the opposite is true.

Erwin Wurm
(from a conversation with Amnon Barzel 17.10.88)

Tank, 1987
Ferro, piombo, acciaio
Iron, lead, steel
162 x 109 x 95 cm
Courtesy Galerie Krinzinger, Vienna

Krieg der 50er mit den 60ern, 1986-88
Lamiera, legno, piombo, olio
Sheet metal, wood, lead, oil
Courtesy Künstlerwerkstatt, Monaco

Krieg de 50er mit den 60 ern, 1986-87
Lamiera, legno, piombo e olio
10 pezzi
Sheet metal, wood, lead, oil
10 pieces
6 x 5 x 2 m
Collection Neue Galerie der Stadt Linz

Die Europäische Frage, 1987
Zinco, ferro
Zinc, iron
70 x 38 x 38 cm

O.T., 1987
Legno, lamiera, piombo
Wood, sheet metal, lead
136 x 45 x 35 cm

Pol, 1987
Legno, lamiera, vetro, piombo
Wood, sheet metal, glass, lead

O.T., 1987
Ferro, piombo, acciaio
Iron, lead, steet
Courtesy Galerie Krinzinger, Vienna

Pol, 1987
Legno, lamiera, vetro, piombo
Wood, sheet metal, glass, lead

O.T., 1987
Ferro, piombo, acciaio
Iron, lead, steet
Courtesy Galerie Krinzinger, Vienna

Barbara Bloom   **Eberhard Bosslet**   **Klaus vom Bruch**   **Giorgio Cattani**   **Philippe Cazal**

Carlo Guaita

**Kristin Jones
e Andrew Ginzel**

Luigi Stoisa

Nahum Tevet

Erwin Wurm

Barbara Bloom

Nata a Los Angeles nel 1951
Vive a New York
Born in Los Angeles in 1951
Lives in New York City

Principali Mostre Personali dal 1980
Selected Solo Exhibitions since 1980

1980 Groninger Museum, Groningen; «On Location»
Museum Boymans van Beuningen, Rotterdam; «Twenty Questions»

1981 Rijksuniversiteit Groningen «The Diamond Lane», spezzoni di un film inesistente, durata 5 minuti, 35 mm, presentato in cinema e a festival in tutto il mondo. Prodotto nei Paesi Bassi.

1987 Nature Morte, New York; «Reading Room»
DAAD Galerie, Berlino; «Eins wie das Andere»
Gemeentemuseum, Arnhem; «Lost and Found»
Gemeentemuseum, L'Aia
Galerie Isabella Kacprzak, Stoccarda; «Ein Neger mit Gazelle zagt im Regen nie»

1988 Galerie Grita Insam, Vienna; «Wer im Glashaus sitzt soll nicht mit Steinen werfen»
Hallwalls, Buffalo, N.Y.; «Esprit de l'Escalier»
Galerie Sylvana Lorenz, Parigi
Robbin Lockett Gallery, Chicago
Artists Space, New York
Galerie Dürr, Monaco

Principali Mostre Collettive dal 1981
Selected Group Exhibitions since 1981

1981 Westkunst, Colonia; «Heute»
CalArts, Valencia, Cal.; «Alumni Show»

1982 Secession, Vienna; «Extended Photography»
Paradiso, Amsterdam; «Buitenlanders.......»
Art and the Media, University of Chicago; «A Fatal Attraction»
Groninger Museum, Groningen; «Kunst Nu»

1984 Rotterdamse Kunststichting, Rotterdam; «Con Rumore»

1985 De Appel, Amsterdam; «Display Systems»
Kunstmuseum, Berna; «Alles und Noch Viel Mehr»
Museum Moderner Kunst, Vienna; «Kunst mit Eigen-Sinn»
Aorta, Amsterdam; «Dobbelganger/ Cover» e «Talking Back to the Media»

Museum Fodor, Amsterdam; «Municipal Collection»
Stedelijk Museum, Amsterdam; «Wat Amsterdam Betreft»

1986 The New Museum of Contemporary Art, New York; «Damaged Goods»
Hallwalls, Buffalo, New York; «Poetic Resemblance»

1987 The Renaissance Society, Chicago; «CalArts: Skeptical Belief(s)»
Loughelton Gallery, New York

1988 Galerie Dürr, Monaco; «Broken Neon»
Galerie Sylvana Lorenz, Parigi; «Broken Neon»
PS1, New York; «The Logic of Display»
Kunstverein Hamburg/K3, Amburgo; «Alive/Survive»
Newport Harbor Museum, Newport Beach, California; «CalArts: Skeptical Belief(s)»
Biennale di Venezia, «Aperto '88»
Museum van Hedendaagse Kunst, Anversa; «Gran Pavese: The Flag Project»
Jay Gorney Modern Art, New York

Bibliografia Selettiva
Selected Bibliography

1985 Barbara Bloom, «Yes We Have No Bananas», su *Museumjournaal* n. 2. *1986; A Calendar on Travel and Tourism*, di Barbara Bloom con la collaborazione di Martha Hawley.

1987 *Lost and Found*, Gemeentemuseum Arnhem. Con testo di Saskia Bos.
Picture This: Films Chosen by Artists, Hallwalls, Buffalo. Testo su «Les favoris de la lune» di Barbara Bloom.
Beatrice v. Bismarck, recensione su *Flash Art International*, n. 136, ottobre.

1988 *Esprit de L'Escalier*, Hallwalls, Buffalo, N.Y.
Alive/Survive, Halle K3, Amburgo. Testo di Janis Hendrickson.
Susan Tallman, «Esprit de L'Escalier: Prints by Barbara Bloom», su *ARTS Magazine*, maggio.
Ghost Writer, Berliner Künstlerprogramm des DAAD, Berlino. Testi di Barbara Bloom e altri.

Eberhard Bosslet

Nato a Speyer nel 1953
Vive a Duisburg e Berlino
Born in Speyer in 1953
Lives in Duisburg and Berlin

Principali Mostre Personali
Selected Solo Exhibitions

1981 Mopeds, Berlino

1985 Pfalzgalerie, Kaiserslautern, «Inszenierte Fotografie»
Fundació Miró, Barcelona, Espacio P, Madrid e Reus, Spagna; «Interventions» (cat.)

1986 Wilhelm–Lembruck–Museum, Duisburg (cat.)

1987 Carla Stützer Gallery, Colonia
Heidelberger Kunstverein, Heidelberg (cat.)

1988 John Gibson Gallery, New York
Mercer Union, Toronto
John Gibson Gallery, New York

1981-1988 Installazioni in luoghi pubblici: Berlino, Regensburg, Duisburg, Barcellona, Anversa, Isole Canarie

Principali Mostre Collettive
Selected Group Exhibitions

1981 Galerie Wittenbrink, Regensburg; «Situation II» (cat.)
Kunsthalle Düsseldorf, Kiel e Wolfsburg; «Forum Junger Kunst»
Kunsthalle Recklinghausen, Recklinghausen; «Forum Junger Westen»

1982 Berlinische Galerie, Berlino; «Konkret Konstruktive Kunst»

1983 Ruimte Morguen, Anversa; «Bienale Antwerpen»

1985 Riumte Morguen, Anversa; «Bienale Antwerpen»

1987 Documenta 8, Kassel (cat.)
Kunsthalle Bremen, Brema; «Bremer Kunstpreis» (cat.)

1988 John Gibson Gallery, New York; «European Sculpture made in U.S.A.» (cat.)
Karl Bornstein Gallery, Santa Monica, California; «BRD: Abstract Tendencies in New German Art»
Meyers Bloom Gallery, Santa Monica, California; «New Poverty»

Bibliografia Selettiva
Selected Bibliography

1981 *Situation II*, Galerie Wittenbrink, Regensburg. Testo di Wolfgang Siano.

1985 *Eberhard Bosslet Inszenierte Fotografie*, Pfalzgalerie, Kaiserslautern. Testi di Giesela Fiedler-Bender e Bernhard Kerber.
Eberhard Bosslet Interventions. Fundació Joan Miró, Barcellona. Testi di Teresa Camps Miró e Gloria Picazo.

1986 *Eberhard Bosslet*, Wilhelm–Lehmbruck–Museum, Duisburg. Testo di Raimund Stecker.

1987 *Documenta 8*, vol. 2. Testo di Raimund Stecker.
Bremer Kunstpreis, Kunsthalle Bremen, Brema. Testo di Thomas Strauss.
Renate Puvogel, articolo in *Das Kunstwerk* 4-5 XL, settembre.
Eberhard Bosslet, Heidelberger Kunstverein, Heidelberg. Testi di Hans Gerke, Norbert Messler e Raimund Stecker.

1988 *European Sculpture made in U.S.A.*, John Gibson Gallery, New York. Testo di Dan Cameron.

Klaus vom Bruch

Nato a Colonia nel 1952
Vive a Colonia
Born in Cologne in 1952
Lives in Cologne

Principali Mostre e Installazioni
Selected Exhibitions and Installations

1984 Biennale di Venezia; «Pas de Deux»
Galerie Magers, Bonn; «Man lebt
nur einmal, aber man lebt»
1985 Museum van Hedendaage Kunst,
Gent; «Zick-Zack durchs Palais»
1986 New Museum of Contemporary Art,
New York; «Azimut»
Städtische Galerie im Lenbachhaus,
Monaco; «Man lebt nur einmal,
aber man lebt»
Städtisches Kunstmuseum, Bonn;
«Die Verhärtung der
Durchschnittsseelen»
Galerie Daniel Buchholz, Colonia;
«Angriff und Verteidigung»
1987 Documenta 8, Kassel, St. Petri
Kirche, Lubecca e Aorta,
Amsterdam, «Coventry – War
Requiem»
Video Television Festival Japan 87,
Tokio; «Einstein-beam»
1988 Galleria F 15, Moss, Norvegia; «Die
Verhärtung der
Durchschnittsseelen»
Winnipeg Art Gallery, Winnipeg, e
Vancouver Art Gallery, Vancouver,
Canada; «Up on the Roof Top»
nella mostra «The Impossible Self»
Festival des arts électroniques,
Rennes; «O' comme ode à
Napoléon»
Städtisches Museum Abteiberg,
Mönchengladbach; «Radarraum»

Bibliografia Selettiva
Selected Bibliography

1987 Documenta 8, Kassel. Vol. 2. Testo
di Noemi Smolik.
1988 *Radarraum*, Städtisches Museum
Abteiberg Mönchengladbach. Testi
di David Niepel e Dirk Stemmler.
The Impossible Self, Winnipeg Art
Gallery, Winnipeg. Testo di vom
Bruch.

Giorgio Cattani

Nato a Ferrara nel 1949
Vive a Ferrara
Born in Ferrara in 1949
Lives in Ferrara

Principali Mostre e Installazioni
Selected Exhibitions and Installations

1980 Galerie Graphigrò, Parigi
Glynn Vivian Art Gallery, Swansea,
Inghilterra
1981 Galleria la Minima, Reggio Emilia
Galleria Civica d'Arte Moderna,
Palazzo dei Diamanti, Ferrara;
«Monsavon n. 1»
1982 Centre Pompidou, Parigi; «Al di là»
1983 Galleria d'Arte Contemporanea,
Suzzara (Mantova)
4° Festival International d'Art Video,
Locarno
Mostra Internazionale
Cinemavideomedia, Montecatini
1984 Galleria Viniciana, Milano
Videorama, Roma
Video International, Bonn
Palazzo dei Diamanti, Ferrara;
«Memorie, pittura, video,
installazione»
1985 Grand Palais, Parigi; «Prisma»
Video '85, Kunstverein, Colonia
Galleria Schubert, Milano
La Villa del Seminario, Ferrara;
«Ateliers e Opere»
Centro Internazionale per l'Arte,
San Paolo; «International Biennial»
1986 Galleria Comunale Arte Moderna,
Bologna; «Install–Video–Side»
Gemeente Museum, L'Aia;
«Malatempora n. 2»
Il Castello Elettronico, Londra
Palazzo della Cultura, Buenos
Aires; «Biennale Video»
1987 Arte Fiera, Bologna
Documenta 8, Kassel
Galleria La Polena, Genova; «Da
quel tempo lontano»
Studio Bocchi, Roma
1988 Studio Ghiglione, Palazzo Doria,
Genova; «4 x 2 Duetti d'Artista» a
cura di Achille Bonita Oliva
Galleria Fac-simile, Milano; «Stretto
– Attorno»
Casa Küstermann – Nanni, Spoleto;
«Segni d'artista»
56 Bleecker Gallery Ltd., New
York; «Sala d'Attesa»
Galerie H. + W. Lang, Graz;
«Zwei»

Bibliografia selettiva
Selected Bibliography

1985 *La Villa del Seminario*, Ferrara.
1986 *Install – Video – Side*, Galleria
Comunale Arte Moderna, Bologna
1988 *Sala d'attesa*, Bleecker Gallery Ltd.,
New York. Testo di Achille Bonito
Oliva.
*Werke der XXIII Internationalen
Malerwochen in der Steiermark*,
Graz.
Zwei, Galerie H. + W. Lang, Graz.
Tecnicamente dolce, Centro Video
Arte di Ferrara. Testi di Maria
Nadotti e Achille Bonito Oliva.

Philippe Cazal

Nato a La Redorte (Aude), Francia, nel
1948
Vive a Parigi
*Born in La Redorte (Aude), France, nel
1948*

1975 UNTEL, mostre e performance in
Francia e all'estero
1980 Organizzazione di «Une idée en
l'air», mostre e performances, New
York
1984 Creazione della rivista *Public:
Archives Contemporaines
Internationales*, Parigi

Mostre Personali dal 1981
☐ *Solo Exhibition since 1981*

1981 *Lo Zoo del Bois de Vincennes,
Parigi; «Fauves»*
1982 *Nouveau Mixage, Caen; «Est/Ouest»*
1984 *Galerie J & J Donguy, Parigi;
«Malaise au club» – «Fauves sur le
lino du salon» (cat.)*
1985 *Galerie des Arènes, Nîmes;
«L'artiste dans son milieu» (cat.)*
1986 *Galerie Claire Burrus, Parigi;
«Philippe Cazal, un jour»*
1986-87 *ARC Musée d'Art Moderne, Parigi;
«La magie du succès» (cat.)*
1987 *Galerie Claire Burrus, Parigi;
«Philippe Cazal modèle»
Artel, Strasburgo; «Vitrine des
pêcheurs» (cat.)*
1988 *Galerie des Beux-Arts, Nantes (cat.)
Barbican Centre, Londra e John
Hansard Gallery, Southampton;
«Relations extérieures», a cura di
Jérôme Sans (cat.)
Agences Crédit Agricole, Digione;
«Au bout du compte», a cura di
Nouvelles Scènes*

Mostre Collettive dal 1981
☐ *Group Exhibitions since 1981*

1981 IV Biennale di Medellin, Colombia
(cat.)
1983 Bonn; «Egal, Hauptsache Gut!»
(cat.)
1983-84 Parigi, «A Pierre et Marie, une
exposition en travaux» (1 a 10)
(cat.)
1985 Pavillon des Arts, Parigi;
«Génération Polaroid», a cura di
Michel Nuridsany (cat.)
1986 La Serre – Ecole des Beaux-Arts,
Saint-Etienne; «Sans références, la
délégation du droit», a cura di
Frédéric Migayrou

Carlo Guaita

Nato a Palermo nel 1954
Vive a Firenze
Born in Palermo in 1954
Lives in Florence

Casa Frollo, Venezia; «Portraits de scène à l'île aux phoques», a cura di Espace 251 Nord, Liegi (cat.)
CIAC, Monreale; «Lumières: perception-projection» (cat.)
Musée d'Ansembourg – Hôtel de Bocholtz, Liegi; «Portraits de scène», a cura di Espace 251 Nord, Liegi
F.I.A.C., Galerie Claire Burrus, Grand Palais, Parigi

1987 CAC, Montbelliard; «Voiture et cathêdrales», a cura di André Magnin (cat.)
Palazzo Dolmabache, Istanbul e il Museo d'Arte Moderna Ankara, Turchia; «Les années 80 en France: une nouvelle génération d'artistes», a cura di Mario Toran (cat.)
F.I.A.C., Galerie Claire Burrus, Grand Palais, Parigi
Galerie Ghislaine Hussenot, Parigi; «Signes des temps», a cura di Jérôme Sans

1988 Sala 1, Roma; «Tre ritratti + uno» (cat.)

Bibliografia dal 1983
Bibliography from 1983

1983 Severo Sarduy, «Des artistes de-réalisateurs», su *Art Press* n. 70, Parigi.

1984 Jean-François Bory, «Portrait de l'artiste derrière un micro», su *Embrasse-moi, idiot*, Ed. Editions Spéciales, Parigi.
Michel Nuridsany, «Cazal, le funambule», su *Le Figaro*, Parigi 16 marzo.
Jacques Donguy, «Philippe Cazal, artiste situationnel», su *Artiste* n. 19, Parigi.
Jean-François Bory, «Un lapin, le chapeau dont il sort», su *Public* n. 1, Parigi.
Jean-Francois Bory, «Philippe Cazal, irradié de la cultura», su *Lotta Poetica* n. 23/24, Italia.

1985 Elisabeth Lebovici, «Public relation» e Arielle Pélenc, «Image de marque: Cazal & Cazal», nel catalogo *Philippe Cazal*, Galerie des Arènes, Nîmes.
Daniel Soutif, «Philippe Cazal à gogo», su *Libération*, Parigi 20 novembre.

Michel Giroud, «Un art de la mise en scène», su *Kanal Magazine* n. 15-16, Parigi.

1986 Jean-François Bory, su *Scritto Misto*, Saggi, Rara International, Italia.
Nadine Descendre, «Le syndrome de Protée» su *l'Express*, Parigi 7-13 febbraio.
Nadine Descendre, «Le magie du succès» e «C'est ça et non là», nel catalogo *Philippe Cazal*, ARC Musée d'Art Moderne, Parigi.

1987 Elisabeth Lebovici, «Portrait», su *Beaux-Arts Magazine* n. 42, Parigi.
Daniel Soutif, «Lothar Baumgarten/ Philippe Cazal», su *Libération*, Parigi 19 gennaio.
Charles Dreyfus, «Philippe Cazal», su *Kanal Magazine* n. 27-28, Parigi.
René Viau, «Philippe Cazal de A à Z», su *Parachute* n. 48, Monreale, Canada.
«Quatrième de couverture», su *Kanal Magazine*, n. 33-34, Parigi.
Arielle Pélenc, «Expositions paradoxales», su *Arte Factum* n. 20, Belgio.
Catherine Millet, su *L'Art Contemporain en France*, ed. Flammarion, Parigi.

1988 Arielle Pélenc, «From Site to Situation», su *Artscribe* n. 67, Londra.
Bernard Marcadé, nel catalogo *Tre ritratti + uno*, Sala 1, Roma.
Jean-François Bory, su *Pas tout le meme jour*, collection textes, Flammarion, Parigi.
Jérôme Sans, «La ligne Philippe Cazal», sul catalogo *Relations Extérieures*, Barbican Centre, Londra.
Catherine Fayet, «Le label 'Philippe Cazal', l'artiste communiqué», su *Opus* n. 109, Parigi.
Estelle Schwarz, «Advertising, Advertsing», su *Artscribe* n. 71, Londra.
Hannah Vowles e Glyn Banks, «Foreign Bodies» su *Building Design* n. 901, Londra.

Mostre individuali
Solo Exhibitions

1987 Studio Marconi 17, Milano
1988 Galleria Paludetto, Torino
Galleria Carini, Firenze

Principali Mostre Collettive
Selected Group Exhibitions

1985 Galleria Schema, Firenze
Galleria Facsimile, Milano
1986 Studio Malossini, Bologna
Galleria Cavellini, Milano
Salone Brunelleschi, Firenze; «Scultura»
Castello di Volpaia, Volpaia (Siena); «Ultime»
1987 Galleria Carini, Firenze
Palazzo delle Mostre, Alba; «Alta Tensione»
Castello di Rivara, Rivara; «Equinozio d'Autunno»
Galleria G7, Bologna; «Disegni di Scultori»
Galleria Buades, Madrid; «Spunti d'Arte Italiana Giovane»
Studio Marconi, Milano; «Arte Nuova d'Italia»
Galleria Carini, Firenze; «Salgemma»
1988 Galleria Carrieri, Roma
ArteFiera, Bologna; «Under 35»
Studio Scalise, Napoli
Palazzo delle Mostre, Alba; «Corpo a Corpo»
Rotonda della Besana, Milano; «Geometrie Dionisiache»
XLIII^{ma} Biennale, Venezia; «Aperto '88»
Castello di Volpaia, Volpaia (Siena); «Da zero all'infinito»

Bibliografia
Bibliography

1986 *Antonio Catelani Daniela de Lorenzo Carlo Guaita*, Studio Malossini, Bologna. Testo di Sandro Sproccati.
Maria Luisa Frisa, «Silenzio urlo narrazione», su *Flash Art*, dicembre.
1987 *Antonio Catelani Daniela de Lorenzo Carlo Guaita*, Galleria Carini, Firenze. Testi di Maria Luisa Frisa e Loredana Parmesani.
1988 Studio Scalise, Napoli. Testo di

Giacinto di Pietrantonio.
Loredana Parmesani, recensione di «Salgemma», su *Flash Art International*, aprile.
Giorgio Verzotti, «Oltre la pittura» su *Flash Art*, giugno.
Tommaso Trini, «La Maxi Lingua», su *Tema Celeste* n. 16, giugno – settembre.
Goemetrie Dionisiache, Rotonda della Besana, Milano. Testo di Lea Vergine.
Maria Luisa Frisa, intervista su *Flash Art*, estate.
XLIII^{ma} Biennale di Venezia. Testo di Giovanni Carandente.
Da zero all'infinito, Volpaia. Testi di Loredana Parmesani e Giacinto di Pietrantonio.

Kristin Jones e Andrew Ginzel
Kristin Jones nata a Washington D.C. nel
1956
Andrew Ginzel nato a Chicago nel 1954
Vivono a New York
Kristin Jones born in Washington D.C. in
1956
Andrew Ginzel born in Chicago in 1954
Live in New York City

Luigi Stoisa
Nato a Giaveno (Torino) nel 1958
Vive a Torino
Born in Giaveno (Turin) in 1958
Lives in Turin

Mostre Personali – In Collaborazione
Solo Exhibitions – In Collaboration

1985 Art Galaxy, New York; «Spheric
      Storm»
1986 Art Galaxy, New York; «Vis à vis»
      New Museum of Contemporary Art,
      New York; «Triptych»
      Lawrence Oliver Gallery,
      Philadelphia; «Clepsydra»
      Virginia Museum of Fine Arts,
      Richmond, Virginia; «Ephemeris»
1987-88 City Hall Park, New York (Public
      Art Fund); «Pananemone»
1988 M.I.T. List Visual Arts Center,
      Cambridge, Massachusetts;
      «Charybdis»
      Wadsworth Atheneum, Hartford,
      Connecticut; «Analemma,»
      commissionata per la collezione
      permanente e «Seraphim» nella
      mostra «Matrix 99»
      Kristin Jones
1980 Anyart Center for Conteporary Art,
      Providence, Rhode Island; «Room,
      A Still Life»
1981 Beineke Plaza, Yale University,
      New Haven, Connecticut; «Smoke
      Hedge»
      Cushing Gallery, Newport Art
      Association, Rhode Island; «Still
      Light»
1982 Rhode Island School of Design
      Museum of Art, Providence, Rhode
      Island; «Light Column»
      Cushing Gallery, Newport Art
      Association, Rhode Island; «Moon,
      Rain, Cloud»
      Beineke Plaza, Yale University,
      New Haven, Connecticut; «Aerial»
1984 Arco D'Alibert, Roma; «Where Is
      the Universe?»
      Andrew Ginzel
1975 Artists Space, New York

Mostre Collettive – In Collaborazione
Group Exhibition – In Collaboration

1985 Institute for Art and Urban
      Resouces at the Clocktower, New
      York; «Seraphim»
      The Storefront for Art and
      Architecture, New York; «After
      Tilted Arc»
      Whitney Museum of American Art,
      Philip Morris Branch, New York;
      «Ad Infinitum» nella mostra

«Modern Machines, Recent Kinetc
Sculpure»
Insitute for Art and Urban
Resources at the Clocktower, New
York; «Wold View II» nella mostra
«National and International Studio
Artists Exhibition» e «Penumbra»
1986 CIAC Montréal; «Ad Infinitum II»
      nella mostra «Lumières, Perception
      – Projection, les cent jours d'art
      contemporain de Montréal»
      Creative Time, Inc., New York;
      «Adytum» al Brooklyn Bridge
      Grace Borgenicht Gallery, New
      York; «Apastron»
      Institute for Art and Urban
      Resources at the Clocktower, New
      York; «Flux» nella mostra
      «Engaging Objects»
      Bernice Steinbaum Gallery, New
      York; «Cinis»
      City Gallery, Department of Cultural
      Affairs, New York; «Halcyon» nella
      mostra «The Art of Building»
1987 Damon Brandt Gallery, New York;
      «Selections from Collaborations»
      John Michael Kohler Arts Center,
      Sheboygan, Wisconsin; «Eccentric
      Machines»
      The David Bermant Foundation,
      New York; «Thelion» nella mostra
      «P.U.L.S.E.»
      Piezo Electric, New York; «Physics»
1988 Aldrich Museum of Contemporary
      Art, Ridgefield, Connecticut;
      «Interaction»
      Damon Brandt Gallery, New York
      The Municipal Art Society, New
      York; mostra di beneficienza «City
      for Sale»
      Sculpture Center, New York;
      «Constructions between Sculpture
      and Architecture»

Bibliografia Selettiva
Selected Bibliography

1985 Panicelli, Ida. «Kristin Jones and
      Andrew Ginzel» su Artforum, vol. 4,
      n. 3, novembre.
1986 «On Location: Inventing Pangaea»,
      progetto speciale per Artforum, vol.
      24, n. 6, febbraio.
      Virginia Museum of Fine Arts,
      Richmond, Virginia.
1988 Matrix 99, Wadsworth Atheneum,
      Hartford, Connecticut.

Mostre Personali
Solo Exhibitions

1984 Galleria Tucci Russo, Torino
1985 Fundació Joan Miró, Centre
      d'Estudis d'Art Contemporani,
      Barcellona
1986 Galleria Joost Declercq, Gent
      Abbaye Royale de Fontenvraud,
      Fontenvraud
      Galleria Jean-Yves Bobe – Joost
      Declercq, Parigi
      De Appel Foundation, Amsterdam
1987 Galleria Tucci Russo, Torino
1988 Galleria Joost Declercq, Gent
      Studio Corrado Levi, Milano

Mostre Collettive
Group Exhibitions

1982 Magazzini del Sale, Milano
1983 Antichi Chiostri, Torino; «Giovani
      artisti a Torino», a cura di F. Poli
1984 Studio Corrado Levi, Milano;
      «Dall'olio all'aeroplanino»
      Ortona; «Linee di scambio», a cura
      di G. Pietrantonio
1985 Collegno (Torino); «Differenti
      sensazioni IV»
      Castello di Volpaia, Volpaia (Siena);
      «La festa dell'arte»
1986 Studo Corrado Levi, Milano;
      «Protocolli»
      Roma; XIª Quadriennale Nazionale
      d'Arte di Roma
      Montefiorino (Modena); «Libertà
      d'immagine», a cura di C. Cerritelli
      Convegno Celestiano, L'Aquila,
      «Album, la scienza dell'arcobaleno»
      Madrid; «Giovani Artisti di Torino a
      Madrid»
      Frankfurter Kunstverein,
      Francoforte; «Prospect '86»
      Arezzo; «Studi d'artista a Poppi»
      Padiglione d'Arte Contemporanea,
      Milano; «Il Cangiante»
1987 Galleria Civica, Modena e
      Frankfurter Kunstverein,
      Francoforte; «Disegno Italiano del
      Dopoguerra»
      Studio Corrado Levi, Milano;
      «Spunti di giovane arte italiana»
1988 Madrid, Spagna; «Spunti di giovane
      arte italiana»

Bibliografia
Bibliography

1983 *Giovani Artisti a Torino*, Palazzo
      degli Antichi Chiostri, Torino
1984 *Tucci Russo*, Torino. Intervista di
      Corrado Levi.
1985 Fundació Joan Miró, Barcellona
1986 De Appel Foundation, Amsterdam.
      Abbaye Royale de Fontenvraud,
      Fontenvraud.
      Frankfurter Kunstverein,
      Francoforte.
1988 *Sentimi*, di Luigi Stoisa, con testo
      di Marco Meneguzzo, Nuova Prearo
      Editore.

Altri scritti sul lavoro di: Giulio
Ciavoliello, Andrea Cogoi, Angelo
Dragone, Corrado Levi, Marco
Meneguzzo, Giacinto di Pietrantonio
e Francesco Poli.

Nahum Tevet

Nato nel Kibbutz Messilot, Israele nel 1946
Vive a Tel-Aviv
Born in Kibbutz Messilot, Israel in 1946
Lives in Tel-Aviv

Mostre Individuali
Solo Exhibitions

1972 Gilat Galery, Gerusalemme
1975 Galerie Schmela, Düsseldorf
1976 Israel Museum, Gerusalemme
1977 Galerie Illane, Parigi
Russ Galery, Tel-Aviv
Gilat Galery, Gerusalemme
1978 Galerie Schmela, Düsseldorf
Bertha Urdang Gallery, New York
1979 Bertha Urdang Gallery, New York
1980 Galerie Schmela, Düddeldorf
1981 Hillel Gallery, Gerusalemme
1982 Noemi Givon Contemporary Art, Tel-Aviv
City University Graduate Center, New York
1984 Israel Museum Gerusalemme; «Wall Construction»
1986 Kunsthalle, Mannheim
Neue Galerie – Sammlung Ludwig, Aquisgrana
1987 Galerie Emmerich – Baumann, Zurigo
1988 Artifact Gallery, Tel-Aviv

Mostre Collettive
Group Exhibitions

1974 Kibbutz Gallery, Tel-Aviv; «Cinque Giovani Artisti»
1977 Louisiana Museum, Danimarca; «Dieci Artisti d'Israele»
Israel Museum, Gerusalemme; «Israele 77»
CAYC, Buenos Aires; «La Carta Come Mezzo Espressivo»
Tel-Aviv Museum; «Nuovi Acquisti»
1978 Los Angels Country Museum; «Seven Artists form Israel 1948-1978»
Tel-Aviv Museum; «30 x 30»
Ashdot Yaacov Museum, Israele; «Posizione/Direzione '78»
Akron University, Akron, Ohio
1979 Brooklyn Museum, New York; «Seven Artists from Israel 1948-1978»
Bronx Museum, New York; «Marking Black»
1980 Tel Hai, Israele; «Tel Hai '80: Incontro D'Arte Contemporanea»
XI Biennale di Parigi
1981 Basel Art XII; «Tendenza nell'Arte Israeliana 1970-1980»
Kunsthalle, Düsseldorf; «Schwartz»
1982 Kibbutz Gallery, Tel-Aviv; «Sei Scultori»
Israel Museum, Gerusalemme; «Here and Now»
Anderson Gallery, Virginia Commonwealth University, e l'Edith Blum Art Institute, Bard College, New York; «Aspects of Perception»
1983 Israel Museum Gerusalemme; «Arte sull'Arte»
Tel Hai, Israele; «Tel Hai '83»
1984 Israel Museum, Gerusalemme; «Ottanta Anni di Scultura»
Museo d'Arte Moderna di Haifa, Israele; «L'elemento razionale nel lavoro di artisti israeliani»
1985 Israel Museum, Gerusalemme; «Pietre Miliari nell'Arte Israeliana»
1986 Tel-Aviv Museum; «The Want of Matter: A Quality in Israel Art»
Exit Art, New York; «The Disciplined Spirit»
1987 Documenta 8, Kassel
Kunsthalle, Düsseldorf e la Sonnabend Gallery, New York; «Similia/Dissimilia»
1988 Artifact Gallery, Tel-Aviv; «Disegni»

Bibliografia
Bibliography

1982 *Nahum Tevet; Narcissus 1B and 3A: The Graduate Center Mall*, New York, Articolo e intervista di Monroe Denton.
1984 *Nahum Tevet – Sculptures*, Israel Museum Special Exhibit No. 7, Gerusalemme. Articolo di Ygaal Zalmona.
1985 Annelie Pohlen, «Skulptur '85» in *Kunstforum*, febbraio.
1986 Städische Kunshalle, Mannheim e la Neue Galerie, Sammlung Ludwig, Aquisgrana. Testi di Michael Newman e Wolfang Becker.
1987 Sigrid Freese, «Nahum Tevet,» in *Kunstforum*, gennaio – febbraio.
Thomas Wagner, «Nahum Tevet: Sculpturen,» in *Das Kunstwerk*, febbraio.
Similia/Dissimilia, Kunsthalle, Düsseldorf. Testo di Michael Newman.
Documenta 8, Kassel. Testo di Michael Newman.

Erwin Wurm

Nato a Bruck/Mur, Austria nel 1954
Vive a Vienna
Born in Bruck/Mur, Austria, in 1954
Lives in Vienna

Principali Mostre Personali
Selected Solo Exhibitions

1981 Forum Stadtpark, Graz
1982 Neue Galerie am Landesmuseum Joanneum, Graz
Galerie Nächst St. Stephan, Kunstmarkt Düsseldorf
1983 Galerie Nächst St. Stephan, Vienna
Galerie Krinzinger, Innsbruck
Nova Galerija, Zagabria
1984 Forum Kunst, Rottweil
Galerie Nächst St. Stephan, Vienna
1985 121 Art Gallery, Anversa
Galerie Zellermayer, Berlino
Kunstverein für Kärnten, Künstlerhaus Klangenfurt
Galerie Bleich-Rossi, Graz
Galerie Maier-Hahn, Düsseldorf
1986 Gesellschaft für aktuelle Kunst, Brema; «Riva»
Neue Galerie Landesmuseum Joanneum, Graz; «Riva»
1987 Aargauer Kunsthaus, Aarau e Halle Sud, Ginevra; «Riva»
Galerie Marie Louise Wirth, Zurigo (con Schmalix)
Galerie Zellermayer, Berlino
1988 Galerie Krinzinger, Vienna
Galerie Maier Hahn, Düsseldorf
Salzburger Kunstverein, Küstlerhaus, Salisburgo
CC Galerie, Graz (con Wienberger)

Principali Mostre Collettive
☐ *Selected Group Exhibitions*

1982 Hessiches Landesmuseum, Darmstadt
Galerie Nächst St. Stephan, Vienna
Galerie Rolf Ricke, Colonia
1983 121 Art Gallery, Anversa Montevideo, Anversa
Neue Galerie Landesmuseum Joanneum, Künstlerhaus, Graz, Trigon
Secession, Vienna
1984 Wilhelm-Lehmbruck-Museum, Duisburg
Museum Van Bommel – Van Dam, Venlo
Museum des 20. Jahrhunderts, Vienna
Museo d'Arte, Budapest
Neue Galerie u. Künstlerhaus, Graz, e Secession, Vienna
1985 Kunsthalle, Brema
Museum Bochum, Bochum
Kunstverein, Heidelberg e la Staatsgalerie, Saarbrücken
Municipal Art Gallery, Los Angeles
Galerie Grita Insam, Vienna
1986 Akademie der bildenden Künste, Vienna
Museo d'Arte, Budapest
Wilhelm-Lehmbruck-Museum, Duisburg
Kusthalle, Colonia
Galerie Krinzingen, Vienna
1987 Museum van Hedendaage Kunst, Gent
Biennale, San Paolo
Kunst and Museumsverein Wuppertal
Museum Villa Stuck, Monaco
Museum Carolino Augusteum, Linz
Secession, Vienna
1988 Museo Nazionale d'Arte Conteporanea, Seul; «Open Air Sculpture»
Neue Galerie Landesmuseum Joanneum, Graz
Kulturhaus, Graz
Galerie Grista Insam, Vienna
Künstlerwerkstatt, Monaco

Bibliografia selettiva
Selected Bibliography

1982 Neue Galerie am Landesmuseum Joanneum, Graz
Galerie Nächst St. Stephan, Kunstmarkt Düsseldorf
Neue Skulptur, Galerie Nächst St. Stephan, Vienna
Analyse 82, Stadmuseum, Graz
1983 Galerie Nächst St. Stephan, Vienna
Diagonale Scultura, Montevideo, Anversa
Eros-Mythos Ironie, Neue Galerie Landesmuseum Joanneum; Künsterhaus, Graz, Trigon
Junge Scene Wien, Secession, Vienna
1984 *Bella Figura*, Wilhelm-Lehmbruck-Museum, Duisburg
Der Traum von Raum, Museum des 20 Jahrehunderts, Vienna
International Small Sculpture Biennale, Museo d'Arte, Budapest
Neue Weg des plasttschen Gestaltens in Österreich, Neue galerie u. Kunsthaus, Graz; Secession, Vienna
1985 Galerie Zellermayer, Berlino
Galerie Bleich-Rossi, Graz

Kunst des 20 Jahrhunderts aus privaten Sammlungen, Kunsthalle, Brema
Visitor I, Municipal Art Gallery, Los Angeles
Neue Kunst aus Österreich, Zagabria; Lubiana; Belgrado
Raum annehmen - Aspekte Österreichischer Skulptur 1950 - 1985, Galerie Grita Insam, Vienna

1986 *RIVA*, Gesellschaft für aktuelle Kunst, Brema
Otto-Maurer-Preisträger, Akademie der bildenden Kunste, Vienna
Zurück zur Farbe, Museo d'Arte, Budapest
Das Bild der Frau in der Plastik des 20 Jahrehunderts, Wilhelm-Lehmbruck-Museum, Duisburg
Dimension 5, Kunsthalle, Colonia
Aug um Aug, Galerie Krinzinger, Vienna

1987 Galerie Marie Louise Wirth, Zurigo
Aktuelle Kunst aus Österreich, Museum van Hedendaagse Kunst, Ghent
Biennale, San Paolo, Brasile
Vom Essen und Trinken, Kunst und Museumsverein, Wuppertal
Im Rahmen der Zeichnung, Secession, Vienna

1988 Galerie Krinzinger, Vienna
Museo Nazionale d'Arte Contemporanea, Seul
Wandlungen der Skulptur, Neue Galerie Landesmuseum Joanneum, Graz
Beton, Galerie Grita Insam, Vienna

Stampato per conto di Electa Firenze
dalla Fantonigrafica di Venezia